p59

MISS CROOKSHANK AGUS COIRP EILE

TEAMPALL N. MICHEN

Miss Crookshank agus coirp eile

Leon Ó Broin

Sáirséal agus Dill
Baile Átha Cliath

An Chéad Chló 1951

LEIS AN ÚDAR CHÉANNA

Beathaisnéis

Parnell

Gearrscéalta

Árus na nGábhadh agus Sgéalta Eile

Béal na hUaighe agus Sgéalta Eile

Ag Stracadh leis an Saol agus Scéalta Eile

An Rún agus Scéalta Eile

Drámaí

An Mhallacht agus Drámaí Eile

Ní Mar Síltear Bítear agus Drámaí Eile

An Clósgríobhaí

An Oíche Úd i mBeithil

An Boiscín Ceoil

Labhartar Béarla Annseo

Slán le Muirisc

Aistriúcháin

An Fuadach

Triúr Fear i mBád

Cogadh na Reann

Pól Twyning

Oileán Draíochta

Na Pictiúirí

Do Frank Duff

Miss Crookshank agus coirp eile

1.

THOSNAIGH an trioblóid seo go léir an dara nó an tríú cuairt a thugas ar luscaí na marbh i dTeampall Naoimh Michen* i Sráid an tSean-Teampaill i mBaile Átha Cliath. D'imíomar síos an staighre iarainn i ndiaidh an Chléirigh mar is gnách, tuairim is deichniúir againn, agus i gcaitheamh leathuaire nó mar sin chualamar an ghnáthchaint uaidh faoi thirimeacht agus úire iontaigh an aeir thíos in ainneoin an áit a bheith faoi libhéal na Life, cé mar choinníonn sin na corpáin gan feochadh agus mar sin de. Bhí an chuid eile den chomhluadar ag sú an eolais sin ar fad chucu agus ag glinniúint san am chéanna isteach ins na huamhna éagsúla ar dhá thaoibh na luscaí mar a raibh an bheirt dearthair Síoras agus a thuilleadh eile ina luí, ach i slí eicínt bhíos pat-fhuar ionam féin agus gan

*" Michen ó Chill Michen in Áth Cliath " atá ag an mBráthair Bocht Mícheál Ó Cléirigh i *bhFéilire na Naomh nÉireannach*. An 25 Lúnasa a lá féile.

mórán aird agam ar a raibh ar siúl im thimpeall. Bhíos amhlaidh nó gur shroicheamar ceann an dara lusca a ligtear cuairteoirí isteach ann, mar a bhfuil na ceithre séaclaí ina luí i gcomhraí béal-oscailte adhmaid ar urlár uaimhe bige ísle. D'ardaigh an Cléireach a thóirse leictreachais :

" Bailigí timpeall anseo," ar seisean. " Seo, a dhuine chóir, seas do leataoibh, más é do thoil é, agus lig don chailín óg sin na comhraí fheiceáil."

Bhreathnaíomar síos ar na rudaí bochta tirimithe sna comhraí garbha agus thosnaigh an Cléireach ag ríomh an chuid eile dá scéal.

" Tá na coirp seo," adúirt sé, " mórán de chéadta bliain d'aois : an ceann is giorra dhom, corp Chrosáidí is ea é, agus tá a fhios agaibh, a fheara is a mhná uaisle, nach inné ná inniu a bhí na Crosáidí ann. Tig libh lámh a chraitheadh leis, má tá fonn oraibh."

Chrom Sasanach beag beathaithe a bhí inár bhfarradh, é féin agus a bhean chéile, do thóg lámh an Chrosáidí agus do leag uaidh arís í. Rinne a bhean gáire beag faiteach.

" Craithse a lámh, Gertie."

Tharraing Gertie siar.

"Ó, ní dhéanfad. Ní ligfeadh an faitíos dom."

Ach bhí daoine eile ann ar theastaigh uathu é bheith le rá acu gur chraitheadar lámh i mBaile Átha Cliath le Crosáidí, agus faid a bhíodar á dhéanamh lean an Cléireach dá phort, a raibh cuma air gur seinneadh milliún uair cheana é. Phointeáil sé do chomhra eile—ceann a bhí istigh i lár báire idir dhá cheann eile, beagnach ag cosa na gcuairteoirí.

" Corp de mhnaoi rialta an chéad chorp eile a chíonn sibh."

D'fhéach an chuideachta go léir air nuair adúirt sé an méid sin. Bhí iontas orthu.

"Bean rialta?" arsa duine eicínt taobh thiar dhíom.

"Sea, bean rialta," arsa an Cléireach.

Bhrúigh na cuairteoirí isteach go bhfaighidís radharc níos fearr. Bhreathnaíos féin go dian freisin agus do réir mar rinneas bheoigh rud eicínt ionam, rud a d'fhan marbh ionam na hamantaí cheana a raibh mé san áit—an fhiosracht, sea bhí sin ann, agus—mothú go raibh rud eicínt as bealach sa taispeántas seo. Má ba bhean rialta dáiríre an séacla seo ina luí nocht i gcomhra béal-oscailte ar urlár dheannachúil na huachaise sin, ba cheart domsa agus dom leithéidí rud eicínt a dhéanamh faoi. Labhair mé.

"Cá bhfios duit gur bean rialta í?"

Ba ceist nádúrtha go leor í ach sílim gur chuir sí ruibh sa gCléireach.

"Cá bhfios dom?" ar seisean, borb go leor. "Is é gnáthoideas na háite é."

D'fhágas an scéal mar sin. Leis an bhfírinne insint, níor fhéadas cuimhneamh ar éinní eile a déarfainn. Bhain an focal beannaithe sin "gnáthoideas" dem threoir mé.

Bhreathnaíomar ar an dá chorp eile agus ó ba chosúil nach raibh éinní le rá ag an gCléireach fúthu sin do tharraingeamar siar amach as an uaimh.

Nuair a bhí gach éinní faoin talamh feicthe againn thugamar cúrsa an teampaill thuas. Bhí trí nó ceithre rudaí inspéise le tabhairt faoi deara ansin: an t-orgán gona fráma greanta álainn gur sheinn Handel air, más fíor do thraidisiún eile, le linn é bheith i mBaile Átha Cliath le haghaidh an chéad tsiamsa den *Messiah*; Stól na bPeacach, mar a mb'éigean do Christopher Pell áirithe maiteanas iarraidh os comhair an phobail faoi dhánaíocht a rinne sé ar an gcléir maidir le hadhlacadh páiste leis; agus dealbh an mhanaigh teanntásaigh Somhairle Ó hAinglí, a thoigh Lochlannaigh Bhaile Átha Cliath leis an deoiseas a rialú dhóibh i 1095. Anselm, Ard-Easpag Canterbury, a d'oirdnigh an t-easpag nua agus tháinig Ó hAinglí go Baile Átha Cliath, is cosúil, gan fáilte dá laghad d'fháil ó na heaglaisigh Éireannacha. Ba ghearr gur thaispeáin sé cé an lagmheas a bhí aige orthu. Thug sé ruathar faoi Theampall Chríosta, do sciob leis na hárthaí agus na héadaí beannaithe, agus bhíodar seo go léir áiseach aige ar ball nuair a thóg sé Teampall Naoimh Michen ar an taoibh thuaidh den abhainn agus ar an taoibh amuigh den bhaile mhór.

Bhí deireadh leis an gcuairt. Cheannaigh cuid againn cóip de phaimpléid faoi stair an teampaill a bhí dá díol ag an gCléireach agus roinnt phictiúirí—orthu sin bhí ceann de na comhraí a chonaiceamar ar ball. D'fhágamar slán ansin ag a chéile.

"Cá dtéimid as seo, a ghrá?" arsa an Sasanach lena mhnaoi.

"Is dóigh go bhfuil sé ródheireannach le dhul go Guinness's. Céard faoi rud eicínt fháil le n-ithe?"

Agus d'imíodar leo ar thóir stéigeanna. Tar éis an tsaoil b'é sin a thug go Baile Átha Cliath iad agus ní thógfá orthu é dá ndéanaidís dearmad go tapaidh ar "iontaisí" Theampaill N. Michen.

2.

Maidir liomsa, do tharraingeas an phaimpléid chugam ar an mbealach abhaile ar an mbus agus do léigh go cíocrach é. Ní raibh ann ach cáipéis cheithre leathanach do scríobh Canon Young, go raibh Teampall N. Michen ar a chúram tráth, ach ba shuimúil liom an t-eolas a bhí ann, go mórmhór ó thaoibh aois an fhoirgnimh. Dá réir seo níl fágtha den teampall a bhí ann san aonú céad déag ach an túr, dealbh Ó hAinglí, agus b'fhéidir deich nó dhá throigh déag de chuid íseal na mballaí. Dealraíonn an scéal go dtáinig an teampall seo de bhunús Lohlannach faoi réim Ard-Easpag Bhaile Átha Cliath le himeacht aimsire agus gurbh iad manaigh Theampall Chríosta a dhéanadh friotháil air. Ar feadh na gcéadta bliain ní raibh de shéipéal ar an taobh thuaidh den chathair ach é. Tar éis an Athruithe Creidimh rinne teampall Protastúnach de agus tá sé ceangailte fós ó thaoibh teidil leis an Ard-Teampall. Le linn Chromail caitheadh an Reachtaire amach, chuaigh "ministir den tSoiscéal" i mbun na seirbhíse, agus tugadh cúl láimhe le Sacraimintí. Dar le húdar na paimpléide ba é deireadh na 17ú aoise agus tús na 18ú aoise ré órtha an teampaill. Thosnaigh muintir Bhaile Átha Cliath ar dhul chun cónaithe ar an taobh thuaidh den abhainn, do cuireadh suas mórán tithe breátha tuaithe do shaibhir na cathrach agus b'éigean an seanpharáiste a dheighilt agus dhá theampall nua (N. Pól agus N. Muire) a thógáil. Rinneadh Teampall N. Michen d'athmhúnlú ar fad i 1686 agus is é an foirgneamh sin atá le feiscint inniu. Coinníodh an seanfhoras, ar ndó, maisíodh an túr agus cuireadh doras nua leis.

Ar feadh na 18ú aoise bhí teampall seo N. Michen ar cheann de na heaglaisí ab "fhaiseanta" i mBaile Átha Cliath agus tá ainmneacha na ndaoine ba mhó cáil le léamh ina Chláracha. Ba rídheacair san am úd suíochán d'fháil sa teampall ach tháinig athrú ar an saol. Thosnaigh na daoine ag imeacht trasna na habhna arís gur chuireadar fúthu ar Chearnóg Mhuirfean nó Cearnóg Mhac Liam. Diaidh ar ndiaidh chuaigh an ceantar i ndearóile. Inniu, ar a shon is nach n-abrann an phaimpléid é, bhraithfeá gur mór an tacaíocht don teampall an t-airgead a gheibhtear ó chuairteoirí.

Ríomhann an phaimpléid an dlúthcheangal a bhí ag teampall N. Michen le saol na hÉireann—meabhraíonn sé dhúinn go bhfuil an Dr. Lucas, é siúd do bhunaigh an *Freeman's Journal*, adhlactha sa reilig agus gur dócha gur sa mbaisteán a húsáidtear go fóill a baisteadh Edmund Burke. D'fhreastal Dr. Gable, duine de chléir an pharáiste, ar Riobaird Emmet ar an gcroich. Taispeántar uaigh sa reilig agus deirtear gurb ann atá Emmet curtha, ach ní móide gur ansin atá sé, adeirtear linn sa bpaimpléid, ach " in uaimh i dteampall N. Póil." Murar féidir leo a mhaíomh go bhfuil corp Emmet acu, ámh, tá Éireannaigh cháiliúla eile ar caomhaint acu : Oliver Bond faoi lic mhóir sa reilig taobh amuigh agus an bheirt Síoras i luscaí na marbh faoin teampall. Tugadh Séarlas Stíobhartach Parnell go Teampall N. Michen le haghaidh seirbhíse adhlactha sul ar cuireadh i gcré i nGlas Naoidhean é. Agus leis an stair a thabhairt anall go dtí beagnach an lá atá inniu ann, instear sa bpaimpléid dúinn go cé an damáiste dalbaí a rinneadh don teampall i 1922 nuair a phléasc an mianach talún a scrios cuid mhór de na Ceithre Cúirteanna. Rinneadh poitreacha de sheanfhuinneoig ar a raibh armas chuid de na comhluadair mhóra a raibh baint leis an bparáiste acu ; agus ní beag a rinneadh de dhíobháil freisin don díon. Tugadh craitheadh don túr chomh maith ach níor scoilt sé, ar ádhmharaí an tsaoil, agus siod anois é, tar éis beagnach míle bliain, chomh maorga agus bhí sé ariamh.

Admhaítear sa bpaimpléid gurb iad luscaí na marbh thíos faoi chothrom na talún an ghné is iomráití den teampall agus mínítear inti go cruinn a suíomh agus a gcosúlacht mar leanas :

> " Tá na luscaí seo faoin teampall idir an aird thuaidh agus an aird theas, ach amháin faoin túr. Luscaí stuacha iad, agus tá a ndéanamh an-ársa . . Ní heol dúinn cá fhad a bhfuil na luscaí seo dá n-úsáid. Gheibhtear an chéad tagairt dóibh in Irisí na nAdhlactha i 1670-1680."

Thuigeas láithreach ón ráiteas sin (1) go mbaineann na luscaí leis an ré roimh 1686 ; is é sin gur sine iad ná an teampall atá suas anois, (2) nach aon ionadh dá bhrí sin go bhfaighimid Crosáidí i measc na marbh iontu. Bhí na Crosáidí ar siúl idir 1096, bliain go raibh an teampall bunaidh dá thógáil, agus 1271. D'fhéadfadh corp an fhir a bheith os cionn ocht gcéad bliain d'aois mar sin, chomh sean leis na clocha is sine sa teampall.

Ag trácht ar an bhfear seo dhó, deir Canon Young, údar na paimpléide, go bhfuil toirt iontach ann agus nach bhfuiltear ar aon scéal faoi cé hé—muran Ridire-Chrosáidí é, is Rí ar Laighnibh é ! Ag trácht ar chorp na mná don Chanónach molann sé an dea-chaoi atá air in ainneoin aoise agus aimsire—" Tá a cinnaighthe go breá soiléir, agus a méaracha seanga is na hiongain orthu ar coimeád i gcónaí "—ach cé hí féin ? Níl le rá ag an gCanónach fúithi ach go ndeirtear gur bean rialta í. Ach nuair a luas sé ansin a mhinicí is hathraíodh na coirp ó am go ham fágann sé an tuairim agat—d'fhág sé agamsa í ar chuma ar bith—nach féidir a bheith cinnte an iad seo chor ar bith an bhean rialta agus an—céard thiúrfas muid air ?—an Crosáidí. Agus céard faoin dá chorp eile sin san uaimh chéanna leis an mnaoi rialta agus an Crosáidí nár dhúirt an Cléireach ná an Canónach tada liom fúthu ? Cérbh iad sin ? Cé an tábhacht a bhain leo go bhfuil siad ar taispeáint go fóill in éindigh leis an mnaoi rialta agus a compánach ?

Bhí na ceisteanna seo agus go leor nach iad ag rith trí mo cheann ag gabháil abhaile dhom ar an mbus, ach faoin am ar bhain mé ceann scríbe amach is ar an mnaoi rialta amháin a bhíos ag smaoineamh. Cérbh í féin ? Cé an t-ainm agus sloinneadh a bhí uirthi ? Cá fhad ó bhásaigh sí ? Cé an aois bhí aici ? Cé an bás a fuair sí ? Ó ba bhean rialta í, chaithfeadh sé gur leis an ré roimh an Athrú Creidimh a bhain sí. Dhéanfadh sin amach go bhfuil sí marbh le ceithre chéad bliain. Más tar éis an Athruithe Creidimh a mhair sí cé an chaoi ar tharla dhi a bheith curtha istigh i dteampall Phrotastúnach ?

Lean mé orm ag machnamh uirthi an lá sin go léir agus ag iarraidh cuid de na fadhbanna a bhain léi a réiteach. Ach thug lá ar na bháireach a chion féin de thrioblóidí eile chugam i gcaoi gur dhearmadas arís í. Dhearmadas glan amach í agus ní móide go gcuimhneoinn go brách arís uirthi mara mbeadh an Taibhse.

3.

Tugaim taibhse air ach ba chirte dhom a rá gurbh é an inspioráid é a fhaighim ó údar áirithe a d'éag sa teach go bhfuilim i mo chónaí ann i láthair na huaire. Tá tuairim agam gur éag sé sa seomra ina gcodlaímid ach ní abraim ariamh é sin i láthair mo chéile, ar eagla na heagla ! R. R.

Madden, staraí na nÉireannach Aontaithe, atá i gceist agam, agus bhíos tamaillín sa teach sul ar thosnaigh sé dá chur féin in iúl. Bhíos istigh ag caint leis an seanmhnaoi ar léi an teach—cailleadh ó shoin í—bhí sí thar nócha bliain d'aois san am ach an lá sin féin bhí a leabhra staire agus Gearmáinise oscailte amach roimpi ar an mbord agus í os cionn staidéir orthu. Bhí dúil chraosach san eolas aici agus ba bhreá léi i gcónaí bualadh le duine ar bith a raibh suim aige i leabhra agus i gcúrsaí cultúrtha. Bhíomar ag caint ar mo theachsa nuair—

" Ní tusa an chéad fhear liteartha a raibh cónaí air sa teach sin," ar sise.

" Breá, nach mé ?" adeirimse. " Cé eile a chónaigh ann ?"

" Bhí an Dochtúir Ó Madáin ann an fiche bliain deiridh dá shaol," ar sise. " An Dochtúir clúiteach Ó Madáin atá mé a rá. Bhí an teach lán de leabhra aige. Bhí an oiread sin díobh aige nach raibh slí chun siúil ar an staighre féin. Agus maidir le scríobh agus le ceapadh leabhar ní théadh stad air. Is minic a fuair na searbhóntaí an Dochtúir agus a bhean chéile, Harriet, rompu ar theacht anuas dóibh ar maidin."

Bhí gliondar orm an t-eolas sin d'fháil agus é roinnt ar ball le mo mhnaoi, ar a shon gur chuir sise in iúl dom tapaidh go leor nár chall dom bheith ag cuimhneamh go mbeadh sise ina Harriet Madden domsa dá mbeinn ag brath ar choinneal an mheán oíche a dhó. Ón lá úd anall thosnaigh tionchair an Mhadánaigh dá leathadh féin ar fud an tí i ndiaidh a chéile. Luas le díoltóir leabhar lá, ceal aon ábhair eile comhrá a bheith agam, gur mhaith liom leabhrán a chur le chéile, uair eicínt, faoi

Bhaile an Bhóthair agus pé scéalta a bhí le bailiú go fóill sa gcomharsanacht faoin Madánach agus a leithéidí a chnuasach ina chomhair.

"An Madánach?" arsa an díoltóir. "An bhfuil suim agatsa sa Madánach? Tá roinnt dá leabhra féin sa tsiopa agam. Tá a ainm agus a shloinneadh orthu agus armas a chineadh. Cuirfidh mé chugat amáireach iad."

Agus sin mar do fuaireas seilbh ar chóipeanna an Mhadánaigh féin den chéad cheithre imleabhra de *Bheathaí na nÉireannach Aontaithe* a scríobh sé. Agus ar ín ar éigin a bhíodar sin faoi chaolach an tí nó gur lean roinnt eile den dá scór leabhar de dhéantús an Mhadánaigh isteach iad. Go hathghearr ina dhiaidh sin tharla dhom bheith ar cuairt i dtigh Easpag Chluain Fearta, agus nuair adúras rud eicínt i dtaobh an Mhadánaigh leis thug sé caol díreach amach leis mé go dtí duine dá shagairt pharáiste go raibh tuairim is trí dosaon d'imleabhra lán de cháipéisí a bhain leis an Madánach aige. Thugamar abhaile linn iad, gach uile imleabhar riamh acu, agus an oíche sin, agus mé i mo shuí aniar sa leaba mór cheithre-phosta a sholáthraigh an tEaspag dom, do léas na litreacha agus na telegramaí a sheol Harriet agus a mac chun a chéile ag cur caoi ar an tinneas fada fadálach a thug bás don Dochtúir agus é in aois a 88. Rug na cáipéisí simplí cineálta úd greim chomh docht sin ar mo chroí go bhfuaireas cead iad a bhreith liom suas go Baile Átha Cliath. Le linn dom bheith dá n-iompar isteach sa teach as ar tógadh iad in 1886, mhothaíos go láidir go raibh athsheilbh dá thógaint ag Ó Madáin ar an áit. Caithfí a "bheatha" a scríobh. Bhí a hábhar dá sháitheadh fém shróin aige.

Ach fóill ort, arsa tusa. Céard mar gheall ar an mnaoi

rialta úd i dTeampall N. Michen? Cé an bhaint atá ag an Madánach léi sin?

Ba ghearr go bhfuaireas amach go raibh baint agus baint an-dlúth. Oíche dhubh gheimhridh bhí mé cois teineadh agus mé ag gabháil trí *Bheathaí na nÉireannach Aontaithe*, an sreath leabhar ar a seasann buanchlú an Dochtúra, nuair céard d'aimseoinn ach tagairt do luscaí sin na marbh i dTeampall N. Michen agus don mhnaoi rialta féin. Más fonn leat í léamh dhuit féin gheobhaidh tú í sa tríú caibideal déag den dara imleabhar den sreath a foilsíodh in 1842. Tá an t-údar tar éis cuntas a thabhairt ar an gcaoi a dtáinig sé ar chloiginn Sheáin Síoras, a fuadaíodh óna thuamba fiche bliain roimhe sin, cé mar thug sé an ceann ar ais go dtí an teampall agus é istigh i gcanna stánach go raibh glas air, agus gur leag sé isteach sa gcomhra é le hais a raibh fágtha den óigfhear uasal úd ar crochadh é féin agus a dhearthháir, Enrí, le chéile i bPríosún Newgate i 1798. "Leagadh an dá chomhra taobh ar thaoibh le chéile," arsa an Madánach, "agus an réiteach a rinne mé, tá súil agam go stopfaidh sé iarracht ar bith feasta ar bhaint leis na coirp." Tugann sé aguisín eolais ansin dhúinn, ceann de na blúiríní fánacha sin nach mbaineann dubh ná dath leis an ábhar agus a nochtas i gcónaí dhomsa gurbh fhearr go mór fada de bhailitheoir an Madánach ná de scríbhneoir nó staraí. Seo é é:

"Ins an tuamba céanna ina bhfuil Enrí agus Seán Síoras tá corp Samuel Rosborough, fear go raibh a bheag nó a mhór d'iomrá air i mBaile Átha Cliath tráth, agus fós corp mná rialta, Miss Crookshank, a ndearna a comhchathraitheoirí Cataoiliceacha í leathchanónú ina n-intinn féin beagnach céad bliain ó shoin."

Sa gcóip den chéad eagrán atá agamsa—is cosúil, mar adúras cheana, gurb é cóip an Mhadánaigh féin é—tá méarán clóbhuailte ó " W. Powell of New Row " greamaithe isteach a dheimhníos ráiteas an Dochtúra maidir le cloigeann Sheáin Síoras agus a leanas mar seo :

" Ins an tuamba céanna tá corp mná rialta, Miss Crookshank, mar adeireas an Dr. Ó Madáin ina leabhar : tá cuid den chorp iomlán (*partly whole*), go háirid óna ceathrúna anuas agus óna ceann go dtí na guaille."

Ach bhí eolas thairis sin faoi Miss Crookshank le fáil níos túisce sa gcaibideal sin de *Bheathaí na nÉireannach Aontaithe*, san áit a gcuireann an Madánach síos ar luscaí na marbh i dTeampall N. Michen agus an chuma atá ar na coirp ann tar éis mórán de bhlianta. Seo é adeir sé :

" Tá ceann de na coirp seo, gur de dháta ársa a sheandacht (*whose antiquity is of an ancient date*), mar le tionóntaithe thuambaí Eorpacha, ar coimeád san ionad céanna ina bhfuil coirp na Síoras adhlactha : iséard atá ann duine dar sloinneadh Crookshank—ball de chuallacht rialta a raibh cáil chráifeachta uirthi tráth. Tuairim is seasca nó seachtó bliain ó shoin d'oibríodh corp na dea-mhná seo oiread sin iontas go dtarraingeadh sé sluaite ollmhóra daoine go dtí a tuamba—nó gur mheasc spioraid an uisce bheatha, ar mhí-ádhmharaí an domhain, agus spioraid an ómóis a bhí ag na daoine do shubháilcí na mná rialta an iomarca trína chéile. Chuir na húdaráis isteach ansin ar an ngnó agus loiteadh ' patrún ' a raibh tuar na maitheasa ann. Ón uair úd anall go dtí an bhliain 1816, nuair a chonaiceas-sa ar dtús é, ní thugadh éinne seachas buachaillí fiosracha agus saineolaithe cuairt ar chorp Miss Crookshank bhocht. I mí na Feabhra an bhliain atá anois ann, sé bliana fichead ó bhíos san áit cheana, fuaras corp na mná rialta aistrithe ón mball a raibh sé ar dtús, *as likewise those of John Henry Sheares* [nílim in ann na focla seo a thiontó mar nach bhfuil a fhios agam a mbrí], agus curtha i dtaisce san áit a dtugtar lusca an pharáiste air. Anuas go dtí uair a aistrithe, a tharla tuairim is cúig nó sé bliana ó shoin, do lean an corp, adúradh liom, sa gcrot foirfe céanna ina raibh sé le fada ariamh. Ach rinne a nochtadh don aer, iarna n-aistriú, dochar do na coirp agus go mórmhór do choirp na Síoras a haistríodh an t-am céanna."

Hóbair dom dul amach trí fhrathacha an tí le barr áthais nuair a léas tagairtí sin an Mhadánaigh don mhnaoi rialta don chéad uair. Bhí a sloinneadh agam—b'shin céim iontach chun cinn, dar liom. Bhí deimhniú agam ar ghnáthoideas an teampaill ó staraí cáiliúil. Ach rud ba thábhachtaí fós ná sin, bhí a fhios agam nach amháin gur bhean rialta í ach gur bhean rialta thar an gcoitiantacht í, bean go raibh cáil a naofachta leata i measc an phobail beagnach céad bliain roimh 1842, an bhliain a foilsíodh an chéad chuid sin de *Bheathaí na nÉireannach Aontaithe*. Agus má bhíothas dá leathchanónú beagnach céad bliain roimh 1842, b'ionann sin agus a rá gur éag sí am éigin roimhe sin. Cé an fhad roimhe sin? Bliain? Céad bliain? Cúig chéad bliain? Chuimhníos ar an gcáil leathan a tháinig ins na saolta deireannacha seo do Philomena, an mairtíreach óg ar frítheadh a corp i gcatacóim na Róimhe. Arbh ionann cás do Miss Crookshank?

Níor thúisce an deacracht maidir le dáta bás na mná rialta tuigthe agam ná gur fhiafraíos díom féin céard do tharla go ndeachaigh Miss Crookshank chomh glan sin amach as cuimhne na ndaoine nach raibh fiú a hainm anois acu ná ag lucht an teampaill féin. Ní raibh inti ach "bean rialta" chomh fada is chuaigh a n-eolas sin uirthi. Má ba "naomh" nó "leathnaomh" féin í, tráth, dar le mórán daoine, nárbh uafásach an t-athrú ar an saol é a corpán bocht briste a bheith anois ina seó bóthair ag tuilleamh pingne do theampall agus do chreideamh nach raibh aon luí aici leo. Bhuail fuadar mé. Chinneas ar bheathaisnéis an Mhadánaigh a chur do leataoibh go fóill nó go bhfuasclóinn i dtosach an fhadhb seo faoi Miss Crookshank. Agus b'fhéidir go dtiocfainn ar eolas i dtaoibh an triúir marbhán eile san am gcéanna.

4.

Muran léir duit cheana féin é, chífidh tú ar ball beag nach staraí mé, agus go rabhas chomh haineolach sin i dtaoibh cúrsaí Bhaile Átha Cliath céad, dhá chéad nó trí chéad bliain ó shoin ag tosnú ar an tóraíocht seo dhom gurbh éigean dom tuairisc a chur agus cúnamh d'iarraidh gach coisméag den bhóthar dar shiúlas. Ach bhí mé sách meabhrach ina dhiaidh sin lena thuiscint go mbeadh mo chnaipe déanta mura n-aimseoinn athghiorra. Cá raibh an t-athghiorra i ráitisí an Mhadánaigh? Bhí sé chomh soiléir le solas an lae gurbh é an tagairt don "phatrún" é do stop "na húdaráis" timpeall 1772-1782 (.i. 1842, an bhliain a foilsíodh leabhar an Mhadánaigh, lúide 60 nó

70 bliain). Ach ciacu údaráis? Údaráis an Stáit, údaráis na cathrach nó údaráis eaglaise? Bhí a fhios agam go mbainfeadh sé níos mó ama dhíom ná d'fhéadfainn a spáráil le hirisí an Stáit—a bhfuil ann díobh—d'iniúchadh thar tréimhse deich mbliana: bheartaíos tosnú mar sin le húdaráis na hEaglaise Cataoilicí. Ar chuma ar bith shíl mé gur chosúla gurbh iad sin a chuir deireadh leis na hoilithreachtaí ("sluaite ollmhóra") go dtí Teampall N. Michen ná éinne eile. Ach péacu bhí an ceart agam sa méid sin nó nach raibh, dúirt oifig an Ard-Easpaig i mBaile Átha Cliath liom nach raibh aon eolas dubh buí nó bán acu faoi Miss Crookshank nó na himeachtaí i 1772-1782.

Chuir an freagra sin díomá mór orm Bhí sé dona go leor nár fhéadas páipéirí an Stáit a chuardach ach ba mheasa ná sin a chreidiúint gurbh í an Eaglais a thoirmeasc na himeachtaí sin agus gan a bheith in ann a chruthú fháil ón Eaglais féin. Agus chreideas sin go daingean. An Eaglais amháin a d'fhéadfadh meon an phobail i leith na mná rialta d'athrú ionas go stopfaí na hoilithreachtaí ar fad agus go ligfí fiú ainm an "naoimh" i ndearmad. Ar an láimh eile, dá bhféachadh an Caisleán nó údaráis Phrotastúnacha an teampaill le cur isteach orthu b'fhéidir go rachadh na hoilithreachtaí faoi ar feadh tamaill ach d'fhéadfainn a bheith cinnte go dtosnóidís arís ar ball. Féach na hoilithreachtaí go dtí Loch Dearg, mar shampla: chosc an Stát, agus an Eaglais féin, iadsin ó am go ham tríd na haoiseanna agus táid níos iomadúla inniu agus níos mó daoine ag glacadh páirte iontu ná ariamh.

D'iontaíos mo shúile ansin chuig na paráistí Cataoiliceacha. B'fhéidir go bhféadfadh a gcuidsin irisí rud eicínt a inseacht dom faoi na hoilithreachtaí. Ach b'shin í síle chaoch agam arís. Chuaigh cuid de na hirisí siar chomh fada leis an gcéad leath den 18ú aois ach ní raibh iontu ach cláracha de bhaistíocha agus de phósta. Agus ní i mbreith ná i bpósadh i dteampaill Chataoiliceacha a bhí suim agamsa san am ach i mbás agus in adhlacadh mná rialta i dteampall Phrotastúnach.

An chéad rud eile a rinne mé, scríobh chuig Canon Young, údar na paimpléide sin i dtaoibh Theampall N. Michen. Bhí tamall maith caite aige ina reachtaire ar an bparáiste, Bhí suim ar leith aige sa teampall : b'fhéidir go gcuirfeadh ráiteas an Mhadánaigh ina chuimhne, ach é mheabhrú dhó, blúire éigin eolais faoi Miss Crookshank a bhí dearmadtha aige. Fuaireas freagra an-chineálta uaidh : d'fhéach sé le mo cheisteanna go léir a fhreagairt chomh maith is d'fhéad sé ; ach maidir le Miss Crookshank dúirt sé, gan fiacail a chur ann, nach raibh eolas dá laghad aige mar gheall uirthi. Chuireas cóip de litir Canon Young chuig Mr. Kerr, Reachtaire Pharáiste N. Póil, a raibh Teampall N. Michen faoina chúram ag an am sin, ach bhí sé siúd, leis, gan fios ná faisnéis ar a shon go dtug sé tuairisc ar nithe eile dhom agus gur chuir sé in iúl dom go mbeadh fáilte romham aon uair ab fhiú liom teacht chun cainte leis.

5.

Do bhreithníos an cás athuair. Céard a bhí faighte amach agam ? Tada, le fírinne a dhéanamh. Bhí agam ráitisí ón Dr. Ó Madáin agus óna dhuine muinteartha, Powell, ach maidir le fíora cruthaithe, bhíos chomh haineolach agus bhíos an chéad lá a chuas i mbun an fhiosrúcháin.

Ní raibh d'fhíora agam ach an corpán féin. Ní raibh aimhreas ar bith orm faoi sin . . . Ach is ar éigin a bhí sin ráite agam nuair a mhothaíos nach raibh mé cinnte dhe sin féin. Cárbh fhios dom gurbh é an corpán seo corpán na mná rialta, is é sin, má ba bhean rialta í ? Agus cé an chaoi a bhféadfainnse, tuathán agus aineolaí mar mise, a rá go dearfa gur bhean féin an corpán. Chomh fada le mo chuimhne ní raibh an corpán sa gcrot go bhféadfainnse mo lámh a leagadh ar mo chroí anois agus a rá gur chorpán mná é. Ach shocróinn an cheist sin luath nó mall. Rith sé chugam go mb'fhéidir go bhfaighinn *pathologist* nó ceimiceoir uair éigin chun cabhruithe liom. D'fhéadfadh a leithéid, do mheasas, inscne an chorpáin a dheimhniú gan aon agó, buille faoi thuairim a chaitheamh ar a aois agus b'fhéidir a fhaid a bhí sé marbh a inseacht chomh maith. Smaoiníos ansin go mb'fhéidir nach bhféadfadh eolaithe mórán a rá faoi áit a bhí chomh neamhchoitianta le luscaí sin na marbh i dTeampall N. Michen. Go deimhin, níl dá mhéid dár iniúchas an cás nach ea is mó do mhéadaigh ar an trí chéile agam. Bhí rud amháin soiléir anois dom : ní bheadh aon athghiorra tríd an bhfiosrúchán le fáil agam.

6.

Chuas ar ais arís go dtí an caibideal sin i *mBeathaí na nÉireannach Aontaithe* agus rinne mé clár ama amach. Seo é é :

1842. Foilsíodh an chéad eagrán de na *Beathaí*. I mí Feabhra thug an Madánach a dhara cuairt ar luscaí na marbh. Fuair sé an bhean rialta agus na Síoras agus Samuel Rosborough san uaimh chéanna.

1816. Thug an Madánach a chéad chuairt ar na luscaí. Bhí an bhean rialta agus na Síoras an uair sin in uaimh eicínt seachas "lusca an pharáiste."

1770-1780. Sluaite ollmhóra daoine ag triall ar thuamba na mná rialta.

1745-1750. A comhchathraitheoirí ag leathchanónú na mná ("beagnach céad bliain" róimh 1842).

Ní bhfuaireas de sholas ón gclár sin ach go mb'fhiú dom, agus go mba spéisiúil, aistriú na gcorp ó am go ham a leanacht. Níor thuig mé cé an difríocht ba mhian leis an Madánach a dhéanamh idir na hoilithreachtaí i 1770-1780 agus an "leathchanónú" a bhí ar siúl i 1745-1750. Mura raibh dul amú dá dhéanamh ag an Madánach chuirfeadh seo bás na mná rialta roimh 1745-1750.

Is léim ghearr siar í ó 1745-1750 go dtí an ré a raibh an dara Rí Séamas in Éirinn: i leaba a chéile fuaireas an rí sin agus a chúirt ag dul idir mé agus codladh na hoíche. Aiste a cuireadh faoi mo shúile a scríobh an Dr. Urramach Maolmhuire Ó Rónáin san *Irish Rosary* i Meitheamh, 1904, faoi deara é. Ins an aiste sin thrácht sé ar na marbháin agus dúirt sé:

> "An chéad cheann de na coirp seo, ar clé, tá sé ráite gur corp mná rialta Benedictíneach é a bhain leis an gclochar i Channel Row, agus an corp ar fíordheis ceaptar gur le manach Cistercianach é as Mainistir Mhuire (*Mary's Abbey*)."

Bhí chuile chosúlacht, do mheasas, ar an scéal sin, sa mhéid do bhain sé leis an mnaoi rialta ar chuma ar bith, agus nuair a d'fhiafraíos i 1945 den Dr. Ó Rónáin céard shíl sé ansin is éard dúirt sé go raibh sé den tuairim i gcónaí gur dhuine í den chuallacht de mhná rialta Benedictíneacha a chuir an dara Séamas ar bun i Channel Row.

> " Ar chaoi ar bith," ar seisean liom i litir a scríobh sé chugam, " luíonn sé le réasún nach bhféadfadh aon bhean rialta eile adhlacadh d'fháil ina leithéid sin d'áit phríbhléidigh tar éis an Athruithe Creidimh —ní raibh aon chlochar sa gceantar roimh an Athrú Creidimh."

Rinne mé mo chuid féin den abairt dheiridh sin. Mura raibh clochar i gceantar Theampall N. Michen roimh an Athrú Creidimh d'fhéadfainn m'aire ar fad a dhíriú ar na clochair a bhí ann tar éis an Athruithe Creidimh, agus ba cheann díobh sin mainistir na mBenedictíneach i Channel Row. Ádhúil go leor, fuaireas lánchuntas ar an mainistir sin san *Irish Dames of Ypres* a scríobh Dom Pádraic Ó Nualláin nach maireann. Mhothaíos arís go raibh liom.

7.

Timpeall an ama chéanna ghlacas leis an gcuireadh a thug Reachtaire Theampall N. Póil dom agus theagmhaíos leis i *vestry* Theampall N. Michen. Thairg sé leabhra an teampaill ar fad a chur ar fáil dom ach bheadh an oiread sin iontu, go mórmhór ins na *Vestry Books*, gur mheasas go mbeinn ag diomailt aimsire mura mbeadh dátaí cruinne agam le hoibriú orthu. Taispeánadh dhá cháipéis an lá sin dom, ámh, ar chuir mé suim mhór iontu, agus mhéadaigh ar a dtábhacht leis an aimsir. Bhíodar greamaithe den dá thaoibh de stiall cartpháir. Is éard a bhí i gceann acu liosta de na táillí a baintí amach ar adhlachta i luscaí na marbh nó le haghaidh seirbhísí

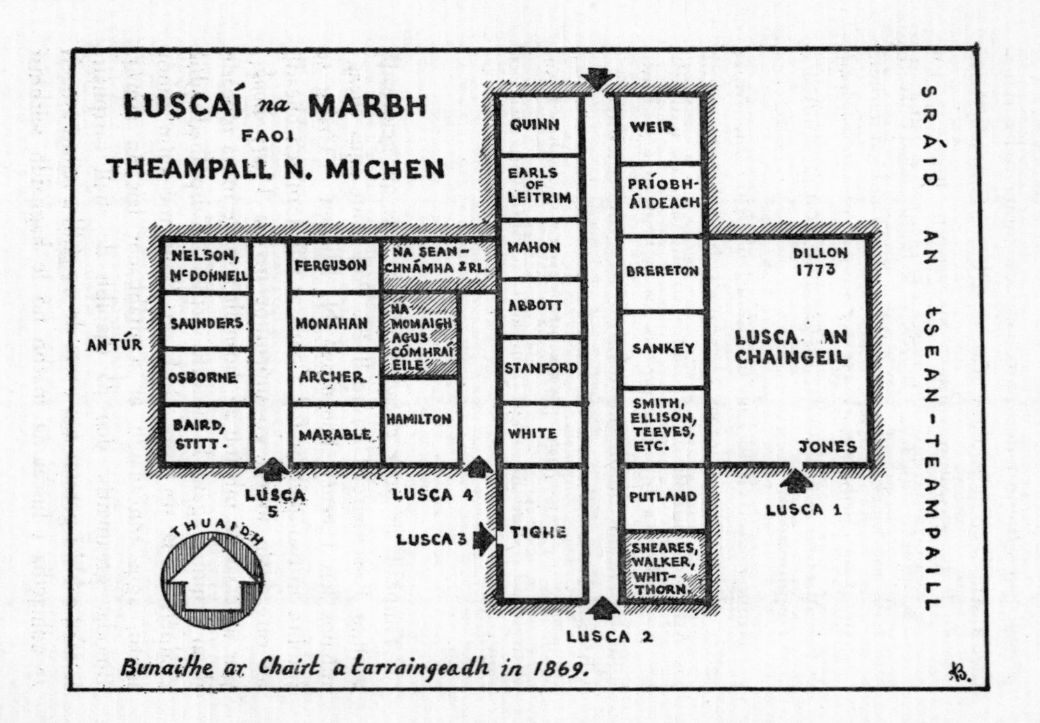

Bunaithe ar Chairt a tarraingeadh in 1869.

do na mairbh. Maidir leis an gcáipéis eile, cairt a bhí ann a tarraingeadh suas ar an 9ú lá d'Fheabhra, 1869, agus tugaim cóip dhi anseo.

Taispeánann an chairt seo go bhfuil cúig luscaí (nó *ranges of vaults*) ar fad do na mairbh faoin teampall. Tá an chéad cheann faoin gcaingeal, an chuid sin den teampall is giorra do Shráid an tSean-Teampaill agus do theaichín an Chléirigh, ach ní hoscailtear ná ní húsáidtear anois é i ngeall ar é bheith "an-tais"—pointe intsuime ab ea é sin ar chuimhneamh dom an tirimeacht as an gcoitiantacht ar a seasann clú na luscaí. Nuair a chuardaíos ar ball don bhealach isteach go dtí an lusca seo fuaireas folaithe i measc tomacha é mar a thaispeánaim ar an gcairt (tá an bealach isteach go dtí na luscaí go léir ar an taoibh seo—an taobh theas den teampall). Ní ligtear na gnáthchuairteoirí isteach i luscaí a trí agus a chúig ach an oiread, agus nuair a d'fhiafraíos cé an fáth dúradh liom go gcuireann na comhluadair ar leo na huamhna ins na luscaí sin ina aghaidh. Ceadaítear don phoiblíocht lusca a dó agus a ceathair fheiceáil agus is iondúil go dtaispeánann an Cléireach ins an ord sin iad. Is é lusca a dó an seomra is mó díobh go léir : gabhann sé trasna bráid an teampaill ar fad agus tá trí cinn déag d'uamhna istigh ann, sé cinn ar thaoibh amháin agus seacht gcinn ar an taoibh eile. An chéad uaimh a castar leat ar thaoibh na láimhe deise ar dhul isteach sa lusca sin duit is inti atá na Síoras. Bhíodh an dara bealach isteach sa seomra seo ón taoibh thuaidh, faoi mar atá sé marcálta agam ar an gcairt, idir uamhna Weir agus Quinn (? Monck), ach tá sé dúnta suas ar fad ar uachtar : tá na céimeanna le feiceáil fós thíos thrí gheata iarainn idir an dá uaimh sin.

Is i lusca a cheathair atá an bhean rialta agus an Crosáidí (alias Rí ar Laighnibh, alias manach Cistercianach) agus an dá mharbhán eile ar taispeáint agus chífidh an léitheoir ón gcairt go raibh " mummies and other coffins " ins an áit cheanann chéanna in 1869. Feicfimid ar ball cé na momaigh a bhí an uair sin ann.

An ní is sonraí i dtaoibh na cairte nach bhfuil dáta níos luaithe ná 1773 uirthi, agus tá an dáta sin ceangailte leis an sloinneadh *Dillon* i Lusca an Chaingeil, is é sin, sa lusca " an-tais." Agus ó dhealraíonn na comhraí i lusca a dó go bhfuilid níos deireannaí ná sin, do rith an smaoineamh isteach i mo cheann gurbh fhéidir nach raibh na marbháin chomh sean ar fad agus adeireas gnáthoideas an teampaill agus Canon Young. Ar cuardach dom ar ball timpeall ballaí an teampaill ar an taoibh amuigh do neartaíodh leis an tuairim sin. Tá trí dhátaí le feiceáil taobh amuigh : 1686 os cionn an dorais mhóir faoin túr, agus 1692 agus 1731 ar dhá lic ar an taoibh dheis den bhealach isteach i lusca a cheathair agus os cionn an bhealaigh sin fá seach.

An tráthnóna sin, ar dhul abhaile dhom, do léas go cúramach arís na coda sin de phaimpléid Canon Young a thagair d'aois an teampaill. Shíl mé go raibh dhá ráiteas aige nach raibh ag teacht lena chéile. An chéad ráiteas díobh :

> " Ní mhaireann den teampall sin, b'fhéidir, ach an túr mór agus dealbh an easpaig. B'fhéidir go mbaineann na coda íseala de na ballaí, suas go dtí deich nó dhá throigh déag ar airde, leis an teampall bunaidh chomh maith."

Agus an ráiteas eile:

> "hAthmhúnladh Teampall N. Michen ar fad ar an seanfhothú i 1686, nuair a tugadh an crot dhó atá aige go fóill."

Má hathmhúnladh ar fad é, níor léir dom cé an chaoi arbh fhéidir aon chuid den teampall bunaidh a choinneáil agus céard a tharla do luscaí na marbh nuair a bhíodar ag leagadh na mbunchloch don teampall nua, foirgint ba mhó de chuid mhaith ná an seancheann, ní foláir. Nó an raibh áit faoi thalamh do na mairbh chor ar bith sa seanteampall? Chuir an smaoineamh deiridh seo an croí i mbarr mo mhéire. Dá bhféadfainn é chruthú bheadh deimhne agam nár ghá dhom dul níos faide siar i mo chuardach ná 1686.

Cé fhreagródh na ceisteanna seo i dtaoibh aois na luscaí dhom? Árseolaí ab fhearr, gan dabht, go háirid dá mba duine é a rinne staidéar ar fhoirgintí eaglaise in Éirinn. Tháinig ainm isteach im aigne ar an toirt. Tharraingeas mo pheann chugam maidin lá arna bháireach agus do scríobhas chuig Oifig na nOibreacha Poiblí, chuig Harold G. Leask, a bhí an uair sin ina Chigire Séadchomharthaí Náisiúnta. D'fhreagair sé an lá céanna mé. Bheirim a litir go hiomlán anseo mar gheall ar a mórthábhacht:

> "Táim tar éis paimpléid an Rev. Mr. Young faoi theampall N. Michen a léamh: is treoirleabhar maith go leor é ar a bhealach féin. Ach tá neamh-ionannas go cinnte idir X agus Y ar leathanach a dó [b'shiod iad an dá ghiota a thug mé thuas] nó b'fhearr dom a rá nach n-aontaím leis an gcéill is féidir a bhaint astu.
>
> Dar liomsa an teampall mar a chímidne é is follas

gur déantús de chineál dronuilleanach é a bhí coitianta ag deireadh na 17ú aoise agus san aois dá cionn. Maidir leis na ballaí íseala a bheith ina gcuid de theampall den mheánaois, táim an-aimhreasach go léir ina thaoibh sin. Níor thugas éinní meánaoiseach faoi deara ariamh sa tsaoirseacht.

Maidir le buntomhas—timpeall 50 troigh ar 100 troigh, gan an túr d'áireamh—is ionann, nach mór, é agus seanteampall N. Bríde (1684), teampall N. Lúcáis (tús na 18ú aoise), agus teampall N. Niocláis (1707) ; iad uilig beagnach comhaois leis. Chor leis sin, tá an barrleithead de 50 troigh rómhór do theampall meánaoiseach gan taobhannaí agus níl sé sách leathan do theampall go dtaobhannaí. Is féidir, ar ndó, a shamhlú gur teampall le dhá thaoibh ar comhleithead beagnach, fearacht teampall N. Audoen, a bhí i seanteampall N. Michen, ach sa gcás sin féin tá an buntomhas de 50 troigh ar leithead réasúnta beag.

Ní aontaím le Mr. Young . . . go bhfuil an criopta stuach an-ársa. Dá mbeadh, bheadh coinne agam le rud eicínt cosúil le criopta Ard-Teampaill Chríosta i leaba leagan amach fíorghlónmhar nach bhfuil róthoirtiúil ná ró-gharbh, agus atá in oiriúint do dháta den 17ú aois.

Tá an túr le feiceáil ar Mhapa Speed de 1610, mar sin ní miste a rá go bhfuil sé níos luaithe ó thaoibh aoise ná an teampall. Cé mhéid níos luaithe ní thig liom a rá ; tá seans go mbaineann sé le ré mór na dtúr .i. leis an 15ú aois, nó le ré is sia siar ná sin fós. Ar chuma ar bith, hathraíodh san 17ú aois é.

Ní heol dom de thagairtí ach páipéar Dean Lawlor in *Iris Chumann Ríoga le Seandála na hÉireann*, Im. 56 (1926). Is é a thuairim seisean go bhfuil an teampall nua-aimseartha agus go bhfuil an dealbh* gar don tseanláthair."

Ní féidir liom a mhíniú don léitheoir go cé an sásamh mór a thug an litir sin dom agus go cé an buíochas a bhí agam de Leask as a hucht. B'é mo dhara theagmháil le léann agus údarás i rith an chuardaigh seo go léir agus rinne sé maith mór dom. Ach rud ba thábhachtaí fós, b'fhacthas dom gur ghearr an litir mo chuid oibre anuas go dtí na leath dhom agus gur fhreagair sí ceisteanna bunúsacha áirithe.

Ar an gcéad dul síos, thug sí le tuiscint dom go bhféadfainn glacadh le 1686 mar dháta tógála na luscaí. D'fhág sin nach bhféadfadh dáta adhlactha na mná rialta a bheith ní ba luaithe ná 1686. Agus má b'fhíor sin, agus cé déarfadh ina choinne, b'fhíor é maidir le gach uile chorp san áit. Thiocfadh de sin nach raibh sa gcaint faoi cheann díobh a bheith ina Chrosáidí nó ina Rí ar Laighnibh nó ina mhanach Cistercianach ach seafóid. Ní móide go dtabharfaí isteach i dteampall N. Michen i 1686 nó ní ba deireannaí fear a bhí marbh cheana leis na céadta bliain, fiú dá mbeadh a chorp slán a dhóthain le haistriú tar éis an méid sin aimsire. Agus cé an chaoi an mbeadh sé slán murar coinníodh balsamaithe é nó in áit eicínt go raibh na buanna céanna ag gabháil leis agus atá le fáil i dTeampall N. Michen. Agus dhiúltaíos glacadh le ceachtar den dá mhíniú sin.

*Féach lch. 12.

8.

Is mór an lán a d'fhoghlaimeas as *The Irish Dames of Ypres* (1908), agus as *An Apostle of Catholic Dublin* do scríobh an Dr. Maolmhuire Ó Rónáin (1944), faoi na mainistreacha a bhí ag na mná rialta Benedictíneacha i mBaile Átha Cliath tar éis an Athruithe Creidimh, ar a shon is nach réitíonn siad lena chéile faoi uimhir na gclochar den ord sin a bhí ann le linn an dara Rí Séamas.

Is cosúil gur bhuíon ó chlochar Sasanach i nDunkirk is túisce tháinig. Chuireadar fúthu ar Ché na gCeannaithe i 1614 ach b'éigean dóibh an tír fhágáil arís i 1630. Tháinig dhá bhuíon eile dhíobh ó chlochair Éireannacha sa mBeilg le linn Séamas II a bheith i gcoróin. Bhí cion faoi leith ag an rí sin ar na Benedictínigh, idir shagairt agus mná rialta, mar gheall ar an gcabhair a thugadar ariamh dá chúis, agus ní hiontas ar bith é, dá bhrí sin, gur ghlaoigh sé " Ár gcéad is Ár bpríomh-mhainistir ríoga, Gratia Dei " ar cheann de na fondúireachtaí seo i mBaile Átha Cliath agus gur gheall sé £100 sa mbliain as Ciste an Stáit dhó. Ní luann an Dr. Ó Rónáin ach clochar Benedictíneach amháin sa ré seo, an ceann sin Gratia Dei a bhí faoi choimirce an rí féin—níl a fhios agam cad chuige —agus déanann sé amach gur i Channel Row a bhí sé, láimh le Teampall N. Michen. Ach féach an t-alt seo as leabhar William King, Ard-Easpag Protastúnach Bhaile Átha Cliath, ina gcuireann sé síos ar *the State of the Protestants of Ireland under the late King James's Government :*

> " The Priests and Friars were no less oppressive than the soldiers ; they multiplied in Dublin to three or four hundred at the least ; they were well fed and well educated ; there were not more lusty play

Fellows in the Town than they, insomuch that they were remarkable for it . . . they built about fourteen Chappels and Convents in Dublin, *and set up two Nunneries* all of which came to a good Sum . . . "

Do réir Dom Phádraic Ó Nualláin bhí Gratia Dei i Sráid na gCaorach (Ship St.) ar chúl Chaisleán Bhaile Átha Cliath agus gar do shuíomh Theampall N. Mhíchíl-le-Pole. Buíon ó Ypres agus Pontoise a thionscnaimh é i Meán Fómhair, 1687. D'fhanadar ann go dtí Iúil, 1690, ag tabhairt oideachais do thriocha cailíní, clann " nobility and gentry " na hÉireann. Tá sé ráite gur iarr ocht nduine dhéag as an triocha go nglacfaí leo san Ord, ach shíl an Mháthair-Ab de Buitléir go mb'fhearr dóibh fanacht go mbeadh an cogadh idir Rí Séamas agus Rí Liam thart. Fearacht an chlochair a bhí ar Ché na gCeannaithe i dtús na haoise sin, bhí an clochar seo i Sráid na gCaorach achar maith ó Theampall N. Michen agus ar an taoibh eile den abhainn uaidh. Mar sin, ní léir dom cé an fáth a gcuirfí duine ar bith ó cheachtar den dá chlochar sin i dTeampall N. Michen. Bhí reiligí agus teampaill eile níos gaire dhóibh.

Níl Dom Pádraic Ó Nualláin in ann dáta beacht a thabhairt d'oscailt an chlochair i Channel Row ach is cosúil gur tharla sé rud beag níos deireannaí ná bunú an tí i Sráid na gCaorach : go deimhin, shílfeá ó nóta atá ag Dean Lawlor san eagrán de Dhialainn King, Ard-Easpag Protastúnach Bhaile Átha Cliath, a d'fhoilsigh sé, nár hosclaíodh an clochar go dtí 1690, is é sin le rá nach raibh de shaol aige ar fad ach roinnt mhí. Ach pé scéal é ní miste a rá nár mhair sé aon phioc níos faide ná clochar Shráid na gCaorach : agus ba é an fáth céanna a chuir deireadh leo araon, an bualadh a fuair Rí Séamas ag an mBóinn, an dara lá déag d'Iúil, 1690. Tar éis an chatha sin ransáil saighdiúirí Liam na clochair agus d'iompair árthaí beannaithe na séipéal chun bealaigh leo. D'fhill na mná rialta go dtí an Bheilg agus chomh fada lem eolas níor thaobhaíodar an tír seo arís go dtí le linn an chéad chogaidh domhanda (1914-1918).

An chéad rud a chuaigh abhaile orm le linn dom bheith ag machnamh ar shaol gearr sin na mban rialta Benedictíneach i mBaile Átha Cliath a fhoigse dá chéile is bhí tús na tréimhse sin agus oscailt theampaill mhéadaithe N. Michen. De bharr na litre sin ó Dr. Leask a thaispeáin mé cheana féin don léitheoir, chreid mé ag an am seo nach raibh seomra ar bith le haghaidh na marbh faoin teampall roimh 1686 ach go raibh ina dhiaidh sin. Bean rialta Bhenedictíneach a caillfí mar sin i Channel Row nó i Sráid na gCaorach idir, abair, 1687 agus 1690, d'fhéadfaí í chur ann. Bheadh deacrachtaí ann, gan dabht, agus i gcás báis i Sráid na gCaorach bheadh áiteanna adhlactha eile ar chomhgar, ach níl aon agó ná go bhféadfaí adhlacadh a dhéanamh i dTeampall N. Michen dá dteastaíodh sin.

Ach ní theastódh, mura mbeadh duine le hadhlacadh. Cé an freagra, mar sin, a thug na húdair dom ar an gceist —ar cailleadh i mBaile Átha Cliath duine ar bith den dá bhuíon bheaga sin de mhná rialta? Ag trácht ar an bhfondúireacht i Channel Row dhó deir Dom Ó Nualláin "gur cosúil gur cailleadh" agus is í ár gcara i dTeampall N. Michen—Miss Crookshank an Mhadánaigh—atá i gceist aige. Ach níl bun ar bith aige leis an tuairim sin ach aiste an Dr. Uí Rónáin san *Irish Rosary* i 1904 agus chonaic muid cheana féin nach bhfuil ag an Dr. Ó Rónáin féin san aiste sin ach buillí faoi thuairim.

> " The first of these . . on the left is *supposed to be* that of a Benedictine nun, belonging to the convent in Channel Row, and the body on the extreme right is *thought to be* that of a Cistercian monk belonging to Mary's Abbey."

Cuireann an ráiteas sin aiteas ar chroí Dom Uí Nualláin.

> " It is an interesting and happy coincidence," adeir sé, " that this good Benedictine nun should have been laid to rest in the same vault as her brother religious of the New Benedictine Abbey of St. Mary's, Dublin."

Ach i Sráid na gCaorach bhí Dom Ó Nualláin in ann bás a raibh bun i bhfad níos fearr leis a sholáthar dúinn. Go deimhin, tig leis a inseacht dúinn gur éag beirt as an gceathrar siúracha cóir (*choir sisters*) a tháinig ón teach Benedictíneach i bPontoise ag cuidiú leis an Máthair-Ab de Buitléir leis an clochar nua a chur ar bun i mBaile Átha Cliath. Is rí-aisteach an scéal é ach tá chuile chosúlacht air go bhfuil sé fíor. De bharr timpist a bhain di ar an aistear stoirmiúil farraige—bhíodar dhá mhí leis—a cailleadh i Milford na Breataine Bige an chéad bhean acu, Anne Neville. Cuireadh sa mbaile sin í. I Sráid na gCaorach féin i mBaile Átha Cliath a fuair an dara bean rialta bás, an 18ú lá de Bhealtaine, 1689. B'í seo Susan Fletcher, bean de dhá scór bliain d'aois a raibh trí bliana déag caite aici san Ord. Ní deirtear linn céard ba siocair lena bás ach tá sé le léamh i mBille a Báis gurbh í

> " an umhlaíocht a bhí ag rith léi in éindigh leis na subháilcí uile go léir ab údar lena cur go dtí an phlandáil nua i mBaile Átha Cliath, le barr bua a bhaint amach di féin, agus ins an áit sin fuair sí mórán deis

le fulang gach lá i gcaoi is gur ghearr gur chríochnaigh sí an íbirt a rinne sí di féin ag imeacht ón áit seo di . . . .R.I.P."

Caithfidh mé a rá gur chuir sé díomá orm ar bhealach nuair a chonaic mé nach Crookshank a bhí ar an mnaoi rialta sin. Ach ní fada gur chuir mé díom é arae ba deacair liom a chreidiúint gur le Susan Fletcher an corp i dTeampall N. Michen. Faoi mar dúirt mé cúpla uair cheana bhí áiteacha adhlactha ní ba ghaire don chlochar i Sráid na gCaorach ; Teampall N. Mhíchíl a bhí buailte leis, cuir i gcás, nó . . . gairdín an chlochair. Céard faoi ghairdín an chlochair ? Bhí gairdín ag gabháil leis an teach i Sráid na gCaorach, tá sin soiléir ó bhlúire páipéir a dtáinig Dom Ó Nualláin air in Ypres le linn é bheith ag ullmhú a leabhair. Chomhaontú é seo dar dáta an 14ú Bealtaine, 1688, a rinne Dame Barbara Philpott, bean ghnótha na cuideachtan, le Richard Nee áirithe faoina bhfuair sé fiche scilling *sterling* i leith " na crainnte a bhearradh agus an gairdín etc. a rómhar agus a shíolchur." Chorraigh an blúirín páipéir sin Dom Pádraic ionas gur scairt sé amach :

> " A Shiúir Bhairbre bhoicht ! Is beag a shíl tú gur ghearr go ndéanfadh faolchoin bhradacha scrios ar fhíonghort sin an Tiarna i Sráid Mhóir na gCaorach ar chaith tú oiread sin dúthrachta leis ; go raibh námhaid le theacht agus cogal a chur i leaba an dea-shíl a chuir tusa agus go bhfeicfeadh do pharrthas beag, fearacht an chuid eile den tír, léirscrios agus leatrom."

Ba doiligh liomsa freisin brú fúm nuair a léigh mé an comhaontú sin i leabhar Dom Phádraic ach cúis eile ar fad a bhí im priocadhsa. Is éard ba mhian liomsa a rá le Dame Philpott:

> " A Shiúir Bhairbre bhoicht! Go raibh céad maith agatsa agus ag Richard Nee faoi uaigh a réiteach i do ghairdín álainn le haghaidh do shiúire, Susan Fletcher. Mura mbeadh go ndearna, bheinnse dá cuardach fós i measc na momach is na gcnámharlach uafásacha sin in íochtar an teampaill nua úd in onóir do Naomh Michen a foscladh an bhliain sul a dtáinig tusa go hÉirinn ón mBeilg. Go raibh céad míle maith agat."

Agus leis sin lig mé an tSiúr Susan Fletcher as mo cheann. Ar ndó, bheadh súil in airde agam di ag gabháil trí irisí Theampaill N. Michen dom ar ball ach bhí mé chomh cinnte agus tá biana ar mhaide bacaigh nach bhfaighinn tásc ná tuairisc ansin uirthi nó in áit ar bith eile. Bhí sí slán sábháilte san ngairdín sin i Sráid na gCaorach, faoi bhallaí arda Chaisleán Bhaile Átha Cliath.

9.

Téann cláracha Theampall N. Michen siar go dtí 1636 agus tá a bhfuil ann díobh ón dáta sin go dtí 1700, idir Chláracha Baistíocha, Cláracha Póstaí agus Cláracha Adhlactha, le fáil i gcló san eagrán a chuir Henry F. Berry, I.S.O., M.R.I.A. orthu. Nuair a fuaireas an leabhar seo faoi mo láimh sa Leabharlainn Náisiúnta chuardaíos ar dtús do Susan Fletcher timpeall an ama ar bhásaigh sí (Bealtaine, 1689), ach ní raibh sí ann. D'iniúchas an index breá atá leis an leabhar: bhí Fletchers ann ach bhí sé follasach nár cheann ar bith acu an tSiúr Bhenedictíneach. Níor bheag sin.

Ghealaigh irisí clóbhuailte seo an teampaill, agus réamhrá

an Eagarthóra go háirithe, an bóthar romham agus i mo dhiaidh. Nochtadar saol an teampaill roimh agus tar éis an dáta tábhachtaigh sin 1686, dáta a athoscailte agus dáta tosnuithe ré Rí Shéamais nó ré na mBenedictíneach i mBaile Átha Cliath. Faoi mar a d'fhoghlaimeas ó phaimpléid Canon Young, b'é paráiste N. Michen an chéad pharáiste ar an taobh thuaidh den Life. Le himeacht na haimsire do rinne paráiste an-mhór de. Bhí sé chomh mór sin gur gearradh dhá pharáiste eile as i 1697, paráiste N. Póil agus paráiste N. Muire. Ba pharáiste saibhir freisin é. Bhí go leor de na daoine ba ghustalaí ina gcónaí ann agus fuair an teampall a scar féin den tsaibhreas sin. Fhad a bhí an paráiste ag dul i líonmhaire d'fhan an teampall féin an-bheag. Agus aisteach go leor níorbh é laghad an teampaill ba siocair le gur tosnaíodh dá atógáil i 1683 ach an scéala a frítheadh an bhliain sin go raibh ballaí an tseanteampaill ar tí titim. Braithim gur dhaoine lagmhisniúla iad lucht an *vestry* an uair úd arae ní dhearnadar an teampall nua mór a dhóthain ach an oiread, ar a shon go bhfuil méid rómhór ann an lá atá inniu ann. Níor sholáthraíodar áit ann ach do 105 suíocháin, agus uime sin b'éigean dhá ainm a chur le gach suíochán díobh. Níl a fhios agam cé an réiteach a rinne siad le nach mbeadh aon bheirt díobh ag iarraidh dul i seilbh suíocháin an lá céanna.

Ós rud é go mbaineann mo scéal chomh dlúth sin le nósa agus áiteacha adhlactha, bhí suim ar leith agam sa taoibh sin de chúrsaí an teampaill mar léirítear ins na seancháipéisí iad. An reilig a bhí (agus atá) thart faoin teampall ba í an áit adhlactha ab fhairsinge ar an taobh thuaidh den Life í agus taispeánann na figiúirí le haghaidh seachtaine amháin i 1685 agus le haghaidh seachtaine eile i 1687 do thógas go hiomrollach go gcuirtí meánuimhir de dheichniúir gach seachtain inti. An chomóntacht, na daoine coitianta, a cuirtí ansin, idir Phrotastúnaigh agus Cataoilicigh. Daoine go raibh céim sa tsaol nó airgead acu hadhlactaí roimh 1686 iad istigh sa teampall, i gceann de na tuambaí—déanaim amach go raibh suas le dosaon díobh ann, agus a mbunáite sa gCaingeal—nó faoi na suíocháin faoin urlár, sin nó i dtuamba amuigh sa reilig. Tar éis 1686 do leanadh d'adhlacadh an chinéil sin daoine ins na tuambaí sa teampall atógtha nó i dtuambaí na reilige nó ins na luscaí nua i gcomhair na marbh a bhí ar fáil feasta in íochtar. Tá neart fianaise ann go raibh glaoch mór ar na luscaí sin ón gcéad lá. Ní foláir nó ba faiseanta an rud é san am. Ar chaoi ar bith is eol dúinn ó na hirisí sloinnte na marbh is túisce a chuaigh isteach ins na luscaí sin agus na hionaid a tugadh dóibh iontu. Isteach i Lusca an Chaingeil a cuireadh a bhformhór mór, dá chruthú, ba dhóigh leat, gur chineál lusca poiblí é.

Ní insíonn na hirisí dhúinn céard a rinneadh leis na coirp a bhí faoi na suíocháin sa tseanteampall : ní móide gur rómhór d'fhadhb é ar chuimhneamh dhúinn chomh beag is bhí an áit. Ar ndó, ní fhéadfaí an fhoirgint nua a thógáil ná an tsraith bhuin a chur síos mar ba ghá gan iad a chorraí. Ach pé ní a tharla dhóibh—measaim féin gur aistríodh go dtí an reilig amuigh iad—ní cosúil gur hiompraíodh síos go dtí na luscaí íochtair iad. Chomh fada agus is féidir liom a dhéanamh amach ó na Cláracha, bhí na luscaí thíos folamh ar fad ar dtús agus do líonadh iad diaidh ar ndiaidh le mairbh nua. Más fíor sin, neartaíonn sé leis an tuairim nach mbaineann an bhean rialta, an Crosáidí alias Rí ar Laighnibh alias manach Cistercianach agus an chuid eile de na coirp leis an ré roimh 1686.

Le linn irisí clóbhuailte an teampaill a bheith dá mbreithniú agam bhí seancheist ag gobadh aníos im aigne. B'í seo í. Cataoiliceach ab ea an bhean rialta seo—cad eile ?—cé an chaoi ar tharla dhi bheith adhlactha istigh i dteampall Phrotastúnach ? Ar feadh tamaill ní dhéanainn idirdhealú ar bith idir adhlacadh i reilig agus adhlacadh i dteampall : mheasas gur mhar a chéile iad. Tuigeadh dom ansin nach raibh aon reiligí dá gcuid féin ag na Cataoilicigh ar feadh i bhfad, fiú tar éis dóibh séipéil nó tithe aifrinn d'oscailt ar mhaolú na ndlithe pianúla. Níor hoscladh Glas Naoidhean go dtí 1832. Níl a fhios agam an raibh dlí i gcoinne reiligí a bheith ag na Cataoilicigh dóibh féin : ar chuma ar bith pé reiligí a bhí ann bhíodar i seilbh na bProtastúnach agus airgead mór dá fháil astu, agus bhí mórán díobh thart timpeall ar theampaill ba leis na Cataoilicigh tráth. Is dóigh, mar gheall ar an seanmhuintearthas a bheadh acu lena leithéidí sin d'áit, nár mhiste leis na Cataoilicigh a mairbh a ligean dá gcur iontu. Ach, ar ndó, ba uireasba reiligí dá gcuid fein a shocraigh an scéal : chaithfidís reiligí na bProtastúnach a úsáid dá míle buíochas. Thuig mé é sin go léir, agus thuig mé níos fearr é de bharr a dhul trí irisí clóbhuailte sin Theampaill N. Michen. Cataoilicigh is mó a hadhlacadh i reilig an teampaill sin : d'aithneofá ar a sloinnte Gaelacha iad. Baisteadh agus pósadh in áit eicínt eile iad ach nuair a chas an bás leo b'éigean dóibh a gcnámha a shíneadh i gcré na cille Protastúnaí. B'shin riail nár fhéad an chléir féin éaló uaithi. Mar shampla, cuireadh an sagart clúiteach sin John Austin de Chumann Íosa i reilig N. Caoimhín chomh déanach le 1784 agus dhá bhliain ina dhiaidh sin arís hadhlacadh an Dr. Mac an tSaoir, Ard-

Easpag Cataoiliceach Bhaile Átha Cliath, i reilig N. Michen. Ins an imleabhar d'irisí an teampaill sin go bhfuil formhór an eolais atá sa gcaibideal seo bunaithe agam air tá tagairt do dhá adhlacadh ó Thigh an Aifrinn i Mary's Lane—Eilís de Bhál ar an 17ú Bealtaine, 1677, agus Séamas Ó Comhraidhe ar an 2ú Lúnasa, 1682. Cérbh iad féin? Ar shagart Séamas Ó Comhraidhe? B'fhéidir é. Ach chomh fada lem scéalsa dhe is cuma ciacu b'ea nó nárbh ea óir is i reilig an teampaill a cuireadh é féin agus Eilís de Bhál. Ar na hadhlactha istigh sa teampall féin a bhí aird agamsa. Dá n-adhlactaí an bheirt ansin, bheadh seans go gcabhróidís liom chun an mhistéir i dtaoibh na mná rialta agus an mhanaigh "ó Mary's Abbey" a réiteach.

Taispeánann sloinnte na ndaoine a hadhlacadh i luscaí nua na marbh cé an saghas daoine iad agus cé an creideamh a bhí acu. Seo liosta iomlán do bhreis agus dhá bhliain (ó thosach 1686 go dtí Bealtaine, 1688):

> Lady Jane Blayney, Susanna, Mary agus Sarah Yarner, Margaret Cerins, Richard Winstanley, Ann Beckett, Sir Nicholas Armorer, Laurence Parsons, John agus Henry Delaune, John Usher, Charles Davis, *Elizabeth Talbot,* John Dalway (iad sin ar fad i Lusca an Chaingeil); Ann Coote, Rebekah French, Elinor Howard, Ann Southerne, Alice Clark, Richard Hawkshaw, William Rand, Martha Wynne, Thomas Rawlins, Richard Sands, John Garden (iad sin uilig i Lusca a Dó); Mary Chambers, Hannah Haines (i Lusca a Ceathair); Mary Harding, Elizabeth Whaley (i Lusca a Cúig); James Nixon, Stephen Palmer, Mary Crofton (ní mínítear cé an áit ar cuireadh iad sin).

Déarfá ag féachaint ar an liosta sin gur Ghaill agus Phrotastúnaigh deisiúla chuile dhuine ariamh air ach sílim, ina ainneoin sin, go bhfuil Cataoiliceach nó dhó folaithe ann. Níl mé róchinnte freisin nár bhean rialta an Elizabeth Talbot a thaispeánaim i litreacha Iodáileacha. Séard atá i gClár na nAdhlactha di " 1687, ye 15 December. Mrs. Elizabeth Talbot, virgin, in the Chancell, in the fourth vault on the left hand." Murar bhean rialta í, céard a chiallaíos " Mrs." agus " virgin " i dteannta a chéile ? Rud a neartaíos leis an mbarúil gur bhean rialta í nach dtugtar eolas ar bith eile fúithi. Ní deirtear, mar is iondúil, cér díobh í, cé an áit ar chónaigh sí, ná an ghairm a bhí ag a muintir, a hathair dá mba chailín singil í, a fear céile dá mba bhean phósta í. Agus ar ndó is gnáthach " Mrs." a thabhairt ar bhaill de chuallachtaí áirithe ban rialta anuas go dtí an lá seo féin.

Thug an fáltas seo orm dul tur te ar ais go dtí *The Irish Dames of Ypres*, leabhar an Athar Uí Nualláin. An cheist a bhí le réiteach : an bhféadfadh Elizabeth Talbot a bheith ar dhuine de Bhenedictínigh Channel Row ? D'fhéadfadh. Is léir ón leabhar go raibh an Mháthair-Ab, Dame O'Ryan (=Mrs. O'Ryan), in Éirinn ó 1686 ag ullmhú leis an mainistir i Channel Row a chur ar bun agus gur aimsigh sí is gur oil sí beirt nóibhíseach lena linn sin, beirt nár fhéad sí a ghairm, is cosúil, nó go dtáinig na siúracha cóir eile anall ón mór-roinn. Ní insíonn Dom Ó Nualláin dúinn ins na caibidil faoi Channel Row cérbh iad an bheirt nóibhíseach sin agus ba siúráil é sin, dar liom, nach bhfuil na hainmneacha le fáil in irisí an Oird. Ach is cailíní a mbeadh sloinnte mar Talbot orthu go díreach an sórt a ghabhfadh leis na Benedictínigh : sé sin le rá cailíní de phór uasal Gall-Ghaelach Cataoiliceach na tíre. Gheibheadh cailíní ón aicme sin a n-oideachas ó na Benedictínigh ina scoltacha thar lear agus an túisce a foscladh tithe leis an Ord sin i mBaile Átha Cliath líonadar iad, agus i gceann tamaillín aimsire, faoi mar a thugamar faoi deara cheana, bhí uimhir an-mhór faoin gcéad díobh dá dtairiscint féin don Ord mar bhaill.

Cérbh iad na Talbóidigh gustalacha seo? Bhí a fhios agam ó na croinicí go raibh Talbóidigh i mBaile Átha Cliath san 17ú aois nach raibh gustalach ná uasal do réir caighdeáin na haimsire sin—níor hadhlacadh mar sin iad i luscaí N. Michen. Arbh fhéidir go raibh gaol aici le Risteard Talbóid, "lying Dick Talbot" mar a thugadh a naimhde air, Diúic Thír Chonaill, Oirrí an dara Shéamais, an fear a rinne an oiread sin lena gceart a thabhairt ar ais do na Cataoilicigh go raibh saothar ar Eaglaisigh Phrotastúnacha ag tromaíocht air agus ag scríobh paimpléidí dá cháineadh. Bhí Tír Chonaill pósta le mnaoi go raibh clú agus cáil uirthi ar fud na dtrí ríocht, Frances Jennings (deirfiúr do mhnaoi ba tháscúla fós féin, Sarah Jennings, a phós Diúic Mhaolbhríde) agus an triúr iníon a bhí acu phós siad: níorbh aon duine acu sin, mar sin, Elizabeth. Ach bhí deirfiúr den ainm sin ag Tír Chonaill agus tá contar ann gur bhean rialta í. Má b'ea bheadh sí ina deirfiúr freisin ag an Ard-Easpag Talbóid a fuair bás i bpríosún Newgate agus gur thug Ard-Easpag eile, Oiliféir Beannaithe Pluincéad, an ola dheireannach dhó.

Bhíos ag cur is ag cúiteamh mar seo nuair a thángas ar an dara Mrs. gur *virgin* í i gClár na nAdhlactha. Seo é an iontráil: "1688, December 12, Mrs Sarah Woodward, Virgin, in the fourth valt on the Left hand in the Chancell."

A Thiarcais, adeirim liom féin, céard é seo? Ní féidir go ndearna an t-eagarthóir an dearmad céanna dhá uair nó gur theip air dhá dhearmad clódóra ar phointe chomh gléineach leis seo a cheartú. Shíl mé nach raibh brí ar bith san argóint sin. Is éard a rinne mé go scioptha ansin a dhul tríd an gcuid eile de ré na mBenedictíneach ins an gClár. Níor stadas ansin féin. Leanas orm go dtí an bhliain 1700, ach iontráil eile den tsaghas sin ní bhfuaireas. Luigh tábhacht an phointe seo go trom ar m'aigne nuair a d'iniúchas na figiúirí. Idir 1686 agus 1700 do cuireadh 204 coirp isteach i luscaí N. Michen; as an uimhir sin do hadhlacadh 176, a bhformhór mór ar fad i Lusca an Chaingeil (94) agus i Lusca a Dó (82). Anois bhí naoi n-uamhna i Lusca an Chaingeil agus trí chinn déag i Lusca a Dó, sé sin, dhá uaimh fhichead ar fad sa gcuid ba phoiblí den áit: agus cá ndeachaigh an dá chorp seo, an dóigh leat, ach isteach san uaimh cheanann chéanna? An trí thimpist a tharla sin? Rud eile, cuireadh deich gcoirp san uaimh sin i gcaitheamh trí bliana déag: péire acu sin ár mbeirtne.

Céard a bhí anseo agam? Dhá bhás, nach raibh ach cúpla lá faoi bhliain eatarthu, de mhná gur chosúil gur mhná rialta iad, agus dhá adhlacadh ní hamháin sa lusca céanna ach san uaimh céanna, faoi is dá mba bhaill den chomhluadar chéanna iad in ainneoin nárbh ionann sloinnte dhóibh. Do cheapas gur ag Dom Pádraic Ó Nualláin ba cheart freagra na faidhbe seo a bheith dá mbeadh sé ag éinne agus ar an ábhar sin do tharraingeas a leabhar chugam arís. Ní raibh léite agam cheana dhe ach na caibidil a bhain go speisialta le stair an dá chlochar i mBaile Átha Cliath. Léas an uair seo freisin an caibideal a thráchtas ar ar tharla i nDunkirk tar éis do Dame O'Ryan filleadh ó Éirinn.

Taispeánann sin gur fhill beirt shiúrach in éindigh léithe ach níl sé an-tsoiléir ar fad gurbh iad seo an bheirt a gairmeadh [professed] i Channel Row. Féachann Dom Pádraic le sin a chur in iúl ach sílim féin gur féidir gur bheirt iad darbh ainm Arthur agus O'Connor a gairmeadh i nDunkirk agus a tháinig go Baile Átha Cliath le bheith i láthair ag gairm na beirte eile agus le cuidiú le hobair na scoile. Shíl Dom Ó Nualláin gur dheirfiúracha de bhunadh Caomhánach iad san ach níl sé cinnte. Tugann sé na hainmneacha ag bun leathanaigh agus cuireann sé ponc ceistiúcháin ina ndiaidh. Ní fhuasclann sin an fhadhb faoi Mrs. Talbot agus Mrs. Woodward, ach mura bhfuasclann, meabhraíonn sé dhúinn nach raibh fíora an scéil ar fad ag Dom Ó Nualláin. Bhí sé réidh glacadh le tuairim neamhchruthaithe an Dra. Uí Rónáin faoi chorp Benedictínigh amháin a bheith i dTeampall N. Michen: dá mbeadh an t-eolas aige atá agamsa faoi Mrs. Talbot agus Mrs. Woodward, an gcreidfeadh sé gur fhág an compántas i Channel Row dhá chorp ina ndiaidh ar dhul ar ais go Flóndras dhóibh? Creidim go ndéanfadh. Agus shíl mé ag an bpointe seo im fhiosrúchán nach raibh dul as agam féin ach an rud céanna a chreidiúint.

Rud eile, mhothaíos go bhféadfainn a rá le fírinne gurbh fhíor gnáthoideas an teampaill sa mhéid seo, gur cuireadh mná rialta sa teampall os cionn dhá chéad go leith bliain ó shoin (1951—1687=264). Ach ar dhuine díobh an corp a taispeántar inniu? Bhíos ag machnamh air sin nuair a chuimhníos go tobann ar an gcairt sin de 1869 sa sacriosta agus ar na focla sin "an-tais: ní hoscaltar anois é" os coinne Lusca an Chaingeil. B'é sin, ar ndó, an lusca inar adhlacadh Mrs. Talbot agus Mrs. Woodward, agus b'fhacthas dom nach raibh seans dá laghad go dtiocfadh a gcoirp as slán, mura raibh le Dia. Rud tábhachtach eile gur chuimhníos air nár thaispeáin irisí clóbhuailte an teampaill aon adhlacadh in uaimh na momach roimh 1700.

10.

B'obair mhór dom a shocrú cé an chéad rud eile a dhéanfainn. An dtabharfainn lom díreach faoi scrúdú a dhéanamh ar irisí na n-ord de mhná rialta a bhí i gcomharsanacht an teampaill idir 1690 (deireadh ré na mBenedictíneach) agus 1780 (an uair ar stopadh na hoilithreachtaí, do réir an Mhadánaigh) nó ar irisí an teampaill féin don tréimhse chéanna : nó arbh fhearr tosnú ag déanamh comparáide idir na tagairtí do na luscaí a bhí dá bhfáil agam do réir a chéile i leabhra agus i bpáipéirí éagsúla. Bhí a fhios agam go laghdófaí go mór mo chuid oibre dá bhféadainn an líne ceart fiosrúcháin a thoghadh ach cé an chaoi a ndéanfainn sin gan sciorta mór den ádh a bheith orm ? Os a choinne sin, dá gcaithinn na trí línte fiosrúcháin d'iniúchadh as a chéile chuirfeadh sé go mór lem ualach. Scanraigh sin mé : bhí go leor cúramaí seachas Miss Crookshank orm : mura gcúngófaí réim an fhiosrúcháin dom bhí faitíos orm go gcaithfinn éirí as ar fad.

Le linn dom bheith mar sin idir trí chomhairlí bhuaileas mo hata orm maidin amháin agus do ghabh síos go dtí an teampall go gcaithfinn súil arís ar an mnaoi rialta seo bhí im chrá. Maidin Mháirt Chásca a bhí ann agus bhí mo mhac, Cóilín, lem chois : rinne seisean, leis féin, cuid mhór den tóraíocht ar a dtráchtar sa leabhar seo agus sa mhéid go raibh dea-chríoch uirthi is dó atá páirt mhór den chreidiúint ag dul.

Tháinig is d'imigh suas le scór cuairteoirí fad a bhíomar ann—rud do thaispeáin nach raibh aon mhaolú ag teacht ar shuim na ndaoine san áit. Bhí fiú lucht bainise ann gona n-éadaí nua, a bhfleasca bláthanna agus eile agus bhíodar seo buil na beirte againn in uaimh na momach thíos. Bean—deirfiúr an Chléirigh—a bhí dár dtionlacan an turas seo agus caithfidh mé a rá go ndearna sí a cuid gnótha go slachtmhar. Bhí an scéal ar a comhairle féin aici ; bhí freagra aici ar gach ceist ; do thóg sí lámh an Chrosáidí faoi is dá mba lámh " balbháin " i siopa táilliúra é, agus do thathain orainn lámh a chraitheadh leis. " Tá sé ráite," ar sise, " gur ádhúil an rud é." Rinneadar go léir amhlaidh cé is moite den bhean choimhdeachta. Chuir sise creathadh aisti agus thug do na boinn é.

D'airíomar ansin scéal na mná rialta. " An corpán sin i lár baill tá sé ráite gur bean rialta é. Tá an corp ins na luscaí le trí chéad bliain agus mar a fheiceas sibh tá cuma an-mhaith fós air. Tá an lámh dheas agus a dhá cois ar iarraidh, áit ar chroch duine eicínt leis iad os cionn céad bliain ó shoin. Ba in aimsir na réabadóirí reilige a tharla sin. Feicfidh sibh in uaimh na Síoras an áit arbh éigean ráil iarainn a thógáil leis na comhraí a choinneáil ó na ropairí sin. Bean eile an corp seo ar an taoibh chlé den mhnaoi rialta. Níl a fhios agam tada fúithi sin ná faoin bhfear ar an taoibh eile den mhnaoi rialta ach an oiread."

Bhí mé ag éisteacht aireach go leor leis an meigeadaigh seo agus ag breathnú go grinn san am céanna ar na ceithre coirp. " Céard déarfadh duine a bheadh dá bhfeiceáil don chéad uair ? " adeirim liom féin, " duine nach mbeadh an t-eolas aige orthu atá agamsa." Ní abródh an gnáthdhuine tada, shíl mé : ghlacfadh sé lenar dúradh leis faoi na coirp, agus ní bheadh ceist ar bith air faoi. "Ach fear grinn, fear meabhrach ?" "Bhal, an chéad rud adéarfadh fear meabhrach, im thuairimse, gurbh áibhéal mór é a rá go bhfuil cuma an-mhaith ar aon cheann de na coirp, siúd is go n-admhódh sé san am céanna gurb iontach an rud é aon chuid díobh bheith le feiceáil chor ar bith, pé beag mór an aois atá acu. Déarfadh sé go raibh na coirp idir a bheith ina gcnámharlaigh agus ina momaigh ; agus go raibh difríocht an-mhór eatarthu maidir le bail agus cuma, pé fáth bhí leis sin. Ar an mnaoi rialta a bhí an bhail ab fhearr. An bhean taobh léi a bhí sa riocht ba mheasa : cé is moite dá ceann agus dá cliabhrach d'fhéadfadh an fear meabhrach a rá go raibh sí titithe as a chéile. Ach an bhean rialta, cé fhéadfadh a chreidiúint go raibh sé trí chéad bliain ó d'éag sise ? Féach leithead na cliabhraí atá uirthi—ó idir trí orlaigh déag go cúig orlaigh déag—agus í ina corpán. Thairis sin, tá na codacha eile dá colainn ann fós faoi chlúdach an chraicinn tirimithe (má fhágaimid as an áireamh na hailt do sciobadh) i dtreo is go bhféadfaí iad d'aithint. Déarfadh an fear meabhrach ansin gur rug an bás an bhean rialta seo leis i mbláth na beathadh, gur bhean bhreá chruaidh í an uair úd. Ach nár léas-sa a mhalairt sin ar fad i mball éigin faoin gcorp seo—is é sin nár bhean óg ná meánaosta féin í ach bean a bhí thar a bheith sean, os cionn céad, leis an bhfírinne a dhéanamh. B'sheo gné eile den scéal a chaithfinn a scrúdú, ach d'fhág mé ansiúd go fóill é.

Chuamar isteach sa teampall thuas ar ball agus do shásaimh sinn féin i dtaoibh na n-adhlactha a déantaí faoi na leacracha, go mórmhór sa gCaingeal. Chas an Cléireach linn ar an mbealach amach agus bhí comhrá againn leis. Fear an-tuisceanach, dea-labhartha é seo agus chuir sé áthas orm a chloisteáil uaidh go raibh taighde déanta aige féin timpeall an teampaill ó casadh cheana liom é agus go raibh eolas agus tuairimí an-spéisiúla aige dá bharr. Bhí a lán le rá aige i dtaoibh na n-adhlactha faoi na suíocháin roimh 1686 ach shíl mé go raibh leisce air a admháil nach raibh aon luscaí faoin teampall ins an ré sin. Do bheartaíos an ní seo a phlé le Leask arís, chun go bhféadfainn a bheith lán deimhnitheach nár tugadh éinní isteach ins na luscaí nua a bhain leis an am roimhré. Níor scar an faitíos ariamh liom go dtiocfainn luath nó mall ar ghiota eolais eicínt a bhéarfadh de roghain dom an bóthar siar go dtí na Crosáidí a chur díom nó éirí as an tóraíocht a raibh an oiread sin aimsire caite agam uirthi cheana.

Ag siúl le chéile thart faoin teampall ar an taoibh amuigh dhúinn do thugas faoi deara go raibh na tomacha a d'fhol-aigh an bealach isteach i Lusca an Chaingeil an uair a raibh mé san áit cheana imithe, agus tharraingeas scéal ar an seomra sin. " Bhí mé istigh ann ó shoin," arsa an Cléireach, " tá sé chomh fliuch sin nár scar an boladh ó mo chuid éadaigh go ceann seachtaine. Is uafásach an áit é. Níl ann ach cosair cró." Sa chomhrá dúinn—bhíos ag iarraidh a dhéanamh amach arbh fhéidir gur haistríodh cuid de na corpáin amach as Lusca an Chaingeil sul ar lobh siad—d'inis sé dhom go raibh spota tirim amháin sa lusca sin, timpeall leath bealaigh ar an taoibh chlé ón mbealach isteach, agus isteach leis an mballa a dhealaíos Lusca an Chaingeil ó Lusca a Dó. Ba mhóide mo shuim sa ráiteas sin ó bhí a fhios agam go

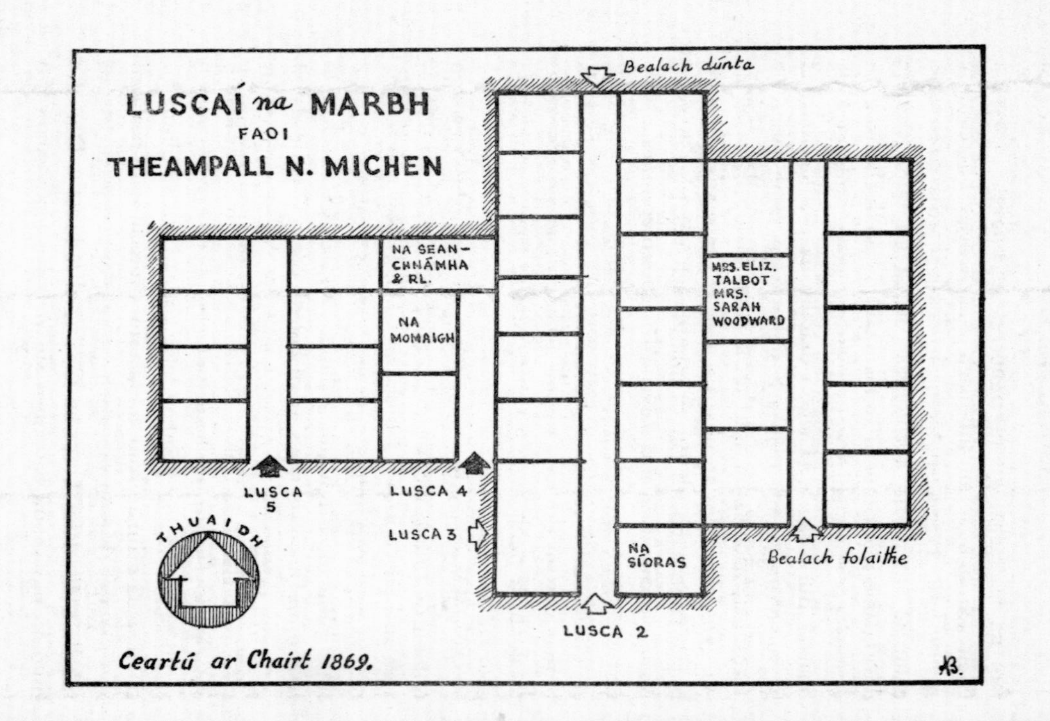

LUSCAÍ na MARBH
FAOI
THEAMPALL N. MICHEN
Bealach dúnta
NA SEAN-
CHNÁMHA
& RL.
NA
MOMAIGH
MRS. ELIZ.
TALBOT
MRS.
SARAH
WOODWARD
LUSCA 5
LUSCA 4
LUSCA 3
THUAIDH
NA
SÍORAS
Bealach folaithe
LUSCA 2
Ceartú ar Chairt 1869.

glúdódh sin an uaimh inar cuireadh Mrs. Talbot agus Mrs. Woodward. Ach ní aontódh an Cléireach liom gur haistríodh éinne ón lusca sin isteach in aon lusca eile.

Rinne mé ceartú ar chairt na luscaí de bharr na cuarta seo. Má fhéachann tú ar an léaráid romhan anseo feicfidh tú ballaí an teampaill agus ionad na luscaí. I gcás Lusca an Chaingeil feicfear go bhfuil 9 n-uamhna ann ar fad, 4 ar an taoibh chlé agus 5 ar an taoibh dheis. Taispeántar sa léaráid freisin an uaimh inar hadhlacadh Mrs. Talbot agus Mrs. Woodward—an tríú uaimh ar chlé.

II.

Do bheartaíos leanúint de scrúdú a dhéanamh ar irisí na n-ord de mhná rialta a bhí i gcomharsanacht an teampaill ón 17ú aois anall. Na Cláracha Bochta an chéad ord eile i ndiaidh na mBenedictíneach gur fhéachas orthu agus chonaiceas go dtáinig compántas beag díobh sin go Baile Átha Cliath i 1625. Éireannaigh a bhí iontu agus is ón mBeilg a tháinig siad, áit ar bhaineadar le clochar Sasanach den Ord. Ní fada a bhíodar i bhfus, ámh, nuair a cuireadh an dlí i bhfeidhm orthu agus b'éigean dóibh scaipeadh nó gur fhéadadar a theacht i gcionn a chéile arís. Chaitheadar tamall de bhliana i gclochar i mBaile Átha Luain a dtugadar Beithil mar ainm air, agus d'éirigh leo chomh maith sin ann go raibh siad in ann brainse a chur ar bun i nDroichead Átha. Ach is gearr a mhair an suaimhneas acu. I 1641 theann saighdiúirí Chromail leo agus b'éigean dóibh teitheadh ó bhaile go baile agus gach a raibh acu a fhágáil ina ndiaidh. Réabadh is scriosadh na clochair orthu. Thug cuid de na siúracha an Spáinn orthu : d'fhan roinnt eile acu ar a gcaomhaint sa mbaile. D'éirigh leo seo sa mbliain

1648 deontas d'oileán san abhainn a fháil ó Bhardas na Gaillimhe, gar don bhaile mór, san áit a dtugtar Nun's Island go dtí an lá atá inniu ann uirthi. Chuireadar clochar breá agus clabhstracha suas ann, ach ceithre bliana ina dhiaidh sin géilleadh Gaillimh do na Cromalaigh, agus scriosadh an clochar ar fad fré chéile. Ón uair úd anall bhí clochar ag na mná rialta i Sráid an Mhargaidh i nGaillimh, agus bhíodh cailíní ar aíocht acu ann i gcaoi is gur mhó de cháil scoile ná clochair a bhí ar an teach. Is ar an nós sin a d'éirigh leis a theacht slán in ainneoin na ndlithe pianúla, chomh fada leis an mbliain 1712, agus ins an mbliain sin bhí an oiread sin teacht aniar sa gcompántas go rabhdar in ann seisear de na siúracha a ligean uathu go Baile Átha Cliath leis an seanchlochar ansin a athbhunú. Bhí cuireadh acu ón Ard-Easpag Ó Broin ach tá chuile chosúlacht ann gurbh í Baindiúic Thír Chonaill, baintreach Oirrí an dara Shéamais, a bhí i mbun agus i mbarr an ghnótha ar fad.

Bean iontach ab ea Frances, an Bhaindiúic. Déarfainn ó na pictiúirí di atá feicthe agam nach raibh aon mhórán scéimhe inti faoi mar a bhí ina deirfiúr Sorcha, Baindiúic Mhaolbhríde, ach ní móide go dtugann na pictiúirí cothrom na féinne dhi. Ar aon chaoi caithfidh sé go raibh bua eicínt ag rith léi a tharraing na fir ina diaidh arae fuair sí beirt acu le pósadh go héascaidh agus ba fir ar mhór le rá iad araon. Bhí roinnt eile ag tnúth léi, fiú Shéamais féin sul ar bhain sé an choróin amach, agus bhíodh go leor scéalta ag imeacht faoin gcaoi ar lig sí do na litreacha grá a chuireadh seisean chuici a thitim isteach i lámha lucht na cúirte chun go bhfeicfeadh sé go raibh sí beag beann air. Phós Frances ar dtús an Cabhnta Seoirse Hamilton, mac leis an gceathrú Iarla Abercorn, agus d'iompaigh sí ina Cataoiliceach leis. Bhí seisean ina chornal ar reisimint Éireannaigh i seirbhís na Fraince nuair a maraíodh in Avignon é i 1667. Bhí triúr iníon aici leis, agus phós an dara duine acu—Frances a bhí uirthisin freisin—le Hanraoi, an t-ochtú Viscount Diolún. Bhí seisean i gceannas ar reisimint de choisithe in arm Rí Shéamais in Éirinn agus ina Theachta Páirliminte ina cheann sin don Mhidhe. Am eicínt tar éis 1676—ní raibh sí mórán thar seacht mbliana fichead d'aois—phós an Bhaintiarna Hamilton arís—le Tír Chonaill an uair seo. Bhí seisean ar na fir a shantaigh í nuair a tháinig sí go dtí an chúirt ríoga i Londain ar dtús agus gan inti ach girseach. Idir dhá linn bhí sé féin tar éis pósta agus a bhean a chailliúint. Bhí iníon aige de bharr a chéad phósta (Charlotte) ach níl sé soiléir go raibh clann ar bith aige le Frances. Ní móide go raibh.

Ón lá ar cheangail sí le Tír Chonaill bhí Frances sáite ní ba doimhne ná ariamh i gcúrsaí na gCataoiliceach. Ní fhéadfadh sí bheith ar a mhalairt de chaoi ar mheabhrú dhúinn díograis agus dúthracht na dTalbóideach. Cheangail sí le bunadh a bhí ní ba Cataoilicí fós nuair a phós duine de na hiníonacha le duine de na Diolúnaigh. Bhí fórsaí láidre dá tarraing sa treo eile baill: a máthair agus a deirfiúr Sorcha—bhí fuath nimhneach acu sin don Róimh agus do phápairí uile—agus bhí beirt dá clainn féin pósta le Protastúnaigh. Níor loic sí ariamh. Chaill Séamas an lá, thug sé féin agus an tOirrí an Fhrainc orthu féin, ach i mbeagáinín aimsire bhí Tír Chonaill ar ais arís in Éirinn agus i mbeagáinín eile aimsire bhí sé marbh—ní móide go raibh a fhios ag an mBaindiúic ariamh nach le nimh a tugadh dhó go fealltach a bhásaigh sé. As sin amach thaispeáin sí an mianach Cataoilicigh a bhí inti. Tháinig sí féin go Baile Átha Cliath agus d'éiligh tailte a fir céile. Bhí de mhéid a dánaíochta agus a cumhachta i Londain, trí eadaruiscín a deirfíre is dóigh, gur tugadh di iad, nó an chuid is mó díobh ar aon nós. Ar an gcaoi sin bhí sí in ann greim a choinneáil ar an teach i Channel Row a mbíodh na Benedictínigh ann agus na Cláracha Bochta a chur isteach ann. Ní hiontas ar bith é gur ar na Cláracha Bochta is túisce a chuimhnigh sí. Bhí triúr colcheathar lena céad fear san ord agus ní fios go cruinn cé mhéid de na Diolúnaigh : fiche duine acu ar a laghad.

Shíl an rialtas, ní nárbh ionadh, go rabhthas ag tabhairt a ndubhshláin nuair a hathoscladh an clochar sin i Channel Row. D'ordaíodar mar sin don Sirriam an tArd-Easpag, an sagart paráiste agus Príomháid na bProinsiascánach a ghabháil, agus na dlithe uilig in aghaidh na bpápairí a chur i ngníomh go daingean. Ní dhealraíonn sé gur tógadh aon duine den triúr sin ach cúisíodh triúr de na mná rialta. Bhí cara sa gcúirt acu, ámh—an Bhaindiúic, mar a mheasaim—agus scaoileadh amach iad. Lean na Cláracha Bochta dá ngnó ach, ar chomhairle an tsagairt pharáiste, d'imíodar isteach in áras níos lú agus do staonadar de ghlaoch " clochar " air. An Bhaindiúic a fuair an áit seo freisin dóibh, i Sráid Thuaidh an Rí, agus bhíodar ann go ndearna dhá roinn díobh i 1751. Easaontas faoi chomhlíonadh na rialach ba bhun leis an dealú. D'imigh drong amháin leo agus do chuir clochar ar fothú i Russell's Court. D'aistríodar arís an bhliain dá chionn (1752) go dtí an áit a dtugtar Sráid Uachtarach na Driseoige anois uirthi. An drong a d'fhan i Sráid Thuaidh an Rí bhíodar ansin go dtí an bhliain 1804, nuair a d'aistríodar amach go dtí Cros an

Araltaigh.

Chuas amach chucu ansin, lá, go bhfeicfinn a gcuid irisí. Ar dhuine díobh Miss Crookshank le linn dóibh a bheith ag cur fúthu i Channel Row nó i Sráid Thuaidh an Rí? Bhíodar an-fháilí liom: go deimhin, dob áil leis an Máthair-Ab go dtiúrfainn annála luachmhara an chlochair liom chun staidéar a dhéanamh orthu ar mo sháimhín só sa mbaile. Mheasas gurbh fhearr gan rud a dhéanamh uirthi, ámh: bhuaileas fúm, mar sin, sa bparlús beag compordach agus do ghabhas tríd an imleabhar sin agus trí leabhar na bproifisiún. Ní raibh liosta iomlán de na siúracha ag dul siar go dtí 1717 le fáil agam ach na liostaí teoranta a chonaiceas ní raibh Crookshank ar bith orthu ná ainm ar bith dá shórt. Bhí Diolúnaigh ann, ar ndó, raidhse dhíobh. Bhásaigh duine acu, Sister Eleanor of the Holy Cross Dillon, an 24ú lá de Mhí na Nollag, 1786.

Ní fhaca mé tagairt ar bith ach an oiread do Theampall N. Michen, agus an chéad uair ar luadh adhlacadh, bean rialta a cailleadh chomh deireannach le 1812 a bhí i gceist. Cuireadh í sin, do réir na n-annála, i reilig N. Shéamais i Sráid Shéamais i dtuamba an chompántais, agus is ansin a hadhlacadh na mná go léir a d'éag roimh 1819, an bhliain ar cuireadh an chéad chorp i gCrois an Araltaigh. Agus "is dóigh go bhfuil tuamba sa reilig chéanna ag Siúracha Sráid an Rí." Ag trácht ar an reilig sin ar leathanach eile de na hannála deirtear gur gheal le Cataoilicigh na linne sin í mar ionad adhlactha agus go gcuirtí an oiread sin díobh inti go dtuilleadh an ministir Protastúnach suas le £600 sa mbliain dá mbarr.

Níor airigh an Mháthair-Ab gur cuireadh na Siúracha in aon áit eile roimh 1819 agus toisc an riail chomhluadair agus bhochtanais atá ag an ord mheas sí gur cuireadh i gcónaí sa láthair bhocht chéanna iad. Mar sin féin d'admhaigh sí gur rud é a d'fhéadfadh a thitim amach go gcuirfí fodhuine acu in aimsir éigeandála in áit mar luscaí N. Michen.

Sul ar fhágas slán ag Clochar Chros an Araltaigh thug an Mháthair-Ab léi mé ag féachaint ar an séipéilín ina bhfuil na siúracha go léir a cailleadh ó 1819 i leith adhlactha. Táid ligthe isteach ins na ballaí ar dhá thaoibh an tséipéil agus a leac féin ag gach siúir acu. Pottinger a bhí ar an gcéad mhnaoi a hadhlacadh. D'éag sise, agus bean rialta eile, bliain nó dhó sul ar tógadh an séipéal beag seo, agus nuair a bhí sé réidh ina gcomhair hardaíodh an dá chorp amach as a n-uaigheanna sa gcré taisfhliuch. Chonaic siúr óg chaidéiseach a bhí sa timpeall go raibh an clár ag teacht de chomhra Miss Pottinger agus níor fhéad sí gan é ardú a thuilleadh agus glinniúint isteach ann. Bhí an bhean mharbh gan mácháil uirthi faoi mar bhí an lá a ndeachaigh clár uirthi. Tar éis an scéal sin a chloisteáil d'fhiafraíos díom féin ar tharla rud eicínt den tsórt sin do Miss Crookshank nó do mhnaoi rialta eicínt eile i stair fhada Theampall N. Michen? Ar tharla sé, cuir i gcás, do dhuine den bheirt a bhí aimsithe agam in irisí an Teampaill?

12.

I 1717 a ghlan na Cláracha Bochta amach as Mainistir Ríoga na mBenedictíneach i Channel Row agus do chuaigh chun cónaithe i Sráid Thuaidh an Rí a bhí comhgarach. Ar éigin a bhí sin déanta nuair a ghlac an tríú buíon de mhná rialta seilbh ar an teach. B'iad seo na Doiminiceánaigh, agus as Gaillimh freisin, fearacht na gCláracha Bochta, a tháinig siadsan. D'osclaíodar scoil aíochta i

1719 ach sa gcaoi nach mbéarfadh an dlí salach orthu rinne siad aithris ar na Cláracha Bochta—bhí ciall cheannaigh acusin—is níor chaitheadar ach gnáthfheisteas na ndaoine. Ina theannta sin do chónaíodar féin agus na cailíní de phór uasal a tháinig ó chuile cheard den tír ag foghlaim uathu i bhfochair a chéile mar bheadh aon teaghlach mór amháin ann. Ach in ainneoin a ndíchill tugadh os comhair na cúirte iad, faoi mar a rinneadh leis na Cláracha Bochta, faoi mhainistir a bhunú in éadan na dlí. Má tugadh, chlis ar lucht an Chaisleáin iad a chiontú. Bhí an Bhaindiúic Thír Chonaill airdeallach i gcónaí : níor lig sí do na húdaráis leathcheal a dhéanamh ar an gcompántas ach an oiread leis an ngasra a bhí timpeall an choirnéil uathu, mar adéarfá. Ón am sin go dtí timpeall 1780 d'éirigh thar cionn leis an bhfondúireacht Doiminiceánaigh. Bhí na mná rialta in ann an mhainistir d'atógaint agus a mhaisiú i 1748 agus ba ghnách seirbhísí na hEaglaise a chomóradh chomh breá sin le poimp agus ceol gur leath cáil an chlochair ar fud na tíre. Tagrann Lecky, an staraí, don " chlochar iomráiteach i Channel Row." Deir sé linn go mbíodh ceoltóirí Iodáileacha ar mhór é a gclú ag cuidiú le cór na siúracha agus go mbíodh a lán Protastúnach i láthair sa ngaileirí ag éisteacht leo. " Solas nua é seo ar chúrsaí Bhaile Átha Cliath," arsa an Dr. Maolmhuire Ó Rónáin, " dá thaispeáint cé an lán a rinne liotúirge agus ceol Cataoiliceach leis an formad in aghaidh na gCataoiliceach a chur ar ceal."

Ach ón mbliain 1780 amach d'imigh an clochar in ísle brí. Pérbí airgead a bhí ag na mná rialta thugadar ar iasacht d'uaisle Cataoiliceaca áirithe é agus d'éiríodar sin chomh bocht sin ar ball de dheasca na ndlithe pianúla agus an drochshaoil nár fhéadadar a bhfiacha d'íoc, rud a d'fhág na Doiminiceánaigh ar an gcaolchuid. Le barr ar an mí-ádh dhiúltaigh mac a seantiarna talún léas an chlochair d'athnuachaint in 1808 mura ndíolfaidís cíos dúbalta leis, sa tslí gur aistríodar an bhliain sin go Cluain Tairbh. D'aistríodar ina dhiaidh sin arís go dtí Cabrach. Bhí an saol an-chruaidh fós orthu—chomh cruaidh sin amantaí go bhféadfá a rá nach rabhdar beo ach ar éigin. I leaba a chéile, ámh, táinig athbhorradh sa gcompántas. Bheannaigh Dia le sruth d'Á ghrásta é i gcaoi is gur mhéadaigh an fhondúireacht i gCabrach as éadan. Inniu tá géagáin ón gclochar sin ar fud an domhain, agus maidir leis an gceannáras níl a leithéid eile in Éirinn ar fhairsinge agus ar mhaise. Tá scoltacha breátha ann do bhordaerí agus do scoláirí lae. Tá institiúid ann do bhalbháin. Tá áit dheas ag na mná rialta féin ann. Ach an ní is breátha ann, dar leis na siúracha féin, ní nach ionadh, an séipéal, Tá sin thar a bheith álainn istigh is amuigh, agus is iomaidh seod atá le feiceáil ann idir árthaí altórach agus éadaí don Aifreann. Ach is iad na taisí a bhaineas leis an tréimhse fada a thug na Doiminiceánaigh i Channel Row is mó atá faoi mheas, agus tar éis iad a fheiceáil, mé féin, déarfainn gur fiú a lán iad, gan a luach stairiúil a chur san áireamh chor ar bith. Tá cailís agus dhá lampa agus ceithre coinnleoirí móra agus sreath d'éadaí Aifrinn ann, cuid acu ag dul siar go dtí ré na mBenedictíneach féin. Agus in airde ar an mballa is faide ón altóir sa gCór tá pictiúir iontach de Chríost ar an gCrois a cuirtear i leith Van Dyck. Shíl mé gurbh fhiú mo chéad amharc air sin cuid mhór den trioblóid a chuir tóraíocht seo Miss Crookshank orm i rith na mbliana.

Fearacht na gCláracha Bochta i gCrois an Araltaigh bhí Siúracha N. Doiminic fial flaithiúil liom. Ba mhór acu, do mheasas, éinne a mbeadh spéis aige ina stair agus a seanchas. Thugadar chugam na hirisí go léir a bhí acu, agus siúr ar bith ar síleadh aon eolas faoi leith a bheith aici thugadar chun cainte liom í sa bparlús. Aon uair amháin bhí cúigear ban rialta sa seomra liom agus orthu sin Máthair-Thaoiseach an Phroibhinse agus Máthair-Uachtarán an chlochair. Bhí seacht leabhra cuntaisí ar an mbord romhainn maraon le liostaí de phroifisiúin, na hannála clóbhuailte do chuir siúr an-éirimiúil nach maireann, faraor, le chéile, agus clóscríbhinn a d'ullmhaigh an tsiúr chéanna fad a bhí sí ag obair ar leabhra na gcuntaisí. Ó am go ham do léadh duine de na siúracha os ard giota as ceann eicínt de na caipéisí sin agus thugadh sin caoi dhom ar bhreis eolais a bhailiú ón gcuideachtain, ar mo thuairimí féin a cheartú, agus mórán mór fhoghlaim go neamhdhíreach faoi shaol agus modhtha na nDoiminiceánach.

Is iad leabhra na gcuntaisí bunchháipéisí an Oird. Táid go hiontach suimiúil ar gach bealach agus is mór an trua nach bhfoilsíonn Coimisiún na Láimhscríbhinní iad go díreach mar tá siad. Insíonn siad go mion an scéal nár bhreacas thuas de ach a cheithre cnámha. Nochtann siad staid an chompántais ó lá go lá : an méid acu a bhí ann, na bordaerí a bhí acu, céard do chosain sé iad a bheathú agus caoi a choinneáil ar an teach—nósa na haimsire maidir le bia agus deoch ; agus gheibhimid ó am go ham iontu freisin na tuairiscí iomlána a hullmhaíodh le haghaidh chuairteora speisialta, ionadaí eaglaise eicínt, tuairiscí ar gach uile mhíle rud a bhí i ngach seomra sa gclochar, idir leapacha, éadaí leapan, troscán, árthaí níocháin, ábhar léitheoireachta agus mar sin de. Taispeánann na leabhra seo staid an airgeadais go cruinn, fiacha an chlochair agus na hairgidí a bhí ag dul dó. Taispeánann siad ina cheann sin cérbh iad patrúin an chompántais. Tá ainm a seancharad, Baindiúic Thír Chonaill, le léamh ann ó am go ham ins na laethanta tosaigh. Bhí sí féin ar lóistín leis na Doiminiceánaigh ar feadh scathaimh, agus mórán eile de mhná uaisle Cataoiliceacha na hochtú aoise déag. Na patrúin ba mhó a bhí acu ba iad na Diolúnaigh iad, an comhluadar ceanann céanna sin a bhí chomh dílis do na Cláracha Bochta. Go deimhin dhuit, chonaiceas sloinnte na mban uasal chomh minic sin ar irisí trí chinn de na hOird ar iniúch mé a gcuid páipéirí gur dingeadh isteach im aigne a mhéid atáimid faoi chomaoin ag na mná céanna. Mura mbeadh iad ní sábhálfaí an creideamh in Éirinn leath chomh réidh agus a rinneadh. Níl na huaisle seo le moladh mórán, b'fhéidir, faoi dhul ar scoil chuig na siúracha ná faoina maoin a chaitheamh ar na clochair, ach níor stop siad ansin : chleachtaigh siad féin an creideamh go dian agus ba uathu a frítheadh formhór na siúracha a choinnigh na clochair ag imeacht le linn na laethanta pianúla.

Fhad a bhí na cáipéisí ríshuimiúla seo dá léamh agam i bparlús na nDoiminiceánach bhí bior ar mo shúil i gcónaí féachaint an bhfeicfinn éinní faoi Miss Crookshank nó faoi na luscaí i dTeampall N. Michen nó faoi adhlactha. Ach ní raibh tásc ná tuairisc ar Miss Crookshank le fáil agam : Cusack an sloinneadh ba ghiorra dhó a casadh liom. Maidir le Teampall N. Michen, taispeánann na cuntaisí go mbíodh ar an gclochar cáin bhliantúil a íoc leis an ministir a chothú agus cáin speisialta am ar bith ar ghá an teampall a chóiriú. Déanaim amach go gcaitheadh an clochar ina cheann sin airgead tinteáin a íoc, airgead faire, ráta *Grand Jury*, airgead lampa, ráta le haghaidh teach na mbocht agus na leanaí coirthe, agus cáin le príosúnaigh daortha a chur thar farraige.

Ní cosúil ó na hirisí go raibh teagmháil ar bith ag na siúracha leis an teampall ach na héilimh seo d'íoc. Níl sé follasach uathu ach oiread cé an áit ar cuireadh iad roimh 1780. Tar éis an dáta sin tugadh iad uilig amach go dtí Mullach hEadairne, atá gar do Bhaile Loindín. Tá sé ina ghnáthoideas san Ord gur cuireadh na siúracha a cailleadh roimhe sin sa reilig úd i Sráid Shéamais gur thagair mé dhi ar baillín ach rinne mé nóta gurbh shin rud ba mhaith liom a thástáil uair eicínt.

Trí theach le hais a chéile a bhí ag na Doiminiceánaigh i Channel Row agus dealraíonn sé go raibh gairdín ag dul leo—chonaic mé tagairt do gharradóir ar chaoi ar bith ins na cuntaisí don bhliain 1719—ach nuair a bhásaigh Mrs. Bellew, an chéad Mháthair-Uachtarán, i Lúnasa, 1726, duine den chéad tseisear a tháinig as Gaillimh, osclaíodh uaigh—níl a fhios agam cé an áit—agus fostaíodh cóistí don tsochraid. Seo é an t-eolas a bheir na cuntaisí :

	£	s.	d.
Paid for opening Mrs. Bellew's grave ..		10	10
To putting up blacks, porters, nails, ribbon, bran, coaches, etc.	1	6	1
To Masses	2	10	0
To ye burial of Mrs. Bellew	1	1	10
To cakes, wine for ye Clergy		17	4

Níl a fhios agam an é an chaoi ar baineadh úsáid as na cóistí le sagairt agus a leithéidí a thabhairt ón taoibh amuigh isteach go dtí an adhlacadh sa ngairdín nó leis an gcorp agus lucht na sochraide a iompar ón gclochar go dtí pé áit taobh amuigh a raibh an uaigh. Ar aon chuma is léir nach i luscaí Theampall N. Michen a hadhlacadh Mrs. Bellew, bíodh gurbh í an iníon ba shine ag Sir Patrick Bellew as Co. Lughbhaidh í ; agus tig linn a thuiscint as sin nach móide go ndeachaigh éinne de na Doiminiceánaigh iontu ach chomh beag.

Dhearc mé go grinn ar chostaisí sochraidí ban rialta eile agus níor thug mé tada faoi deara iontu a chuirfeadh an tuairim sin bun os cionn. Ach céard faoi na bordaerí ? Cé an áit ar cuireadh iad sin ? Níl a fhios agam, ar ndó, cár cuireadh na bordaerí go léir agus leathnódh sé scóp an fhiosrúcháin rómhór orm chun é sin fháil amach. I gcaitheamh mo léitheoireachta dhom, ámh, do chonaiceas gur éag an Bhaindiúic Thír Chonaill in aois a dhá bhliain déag is ceithre fichid ar Chnoc an Arbair an séú lá de Mhárta, 1730, agus gur adhlacadh trí lá ina dhiaidh sin í in Ard-Teampall N. Pádraic i dtuamba an Tiarna Raghnallach "ar an taoibh thuaidh de chéimeanna na haltórach." Is cosúil go raibh "my ladye Dillon," iníon na Baindiúice, ina cónaí sa gclochar ar feadh tamaill mhaith freisin. Bhí sreath seomraí di féin aici agus a suíochán féin aici sa tséipéal. Nuair a tháinig an bás uirthisin, cá háit ar dhóichí a cuirfí í ná in uaimh na nDiolúnach i dTeampall N. Michen ?

Dúirt na siúracha an lá sin liom i gCabrach go gcuirfí éinne de na bordaerí sin a gheobhadh bás in aibíd na nDoiminiceánach, péacu ba daltaí den Treas Ord iad nó baill de Chuallacht an Phaidrín nó nárbh ea. Ní bheadh aon difríocht, nó fíorbheagán, idir an aibíd a chaitheadh a leithéidí agus aibíd na mban rialta féin. Dá dtagadh sealbhóirí Protastúnacha an teampaill ar mhnaoi gléasta mar sin céard a cheapfaidís ach gur bhean rialta bhí acu ? Ní

Bean Rialta Charmelíteach den 18ú Aois

bheadh fios an difir acu ; agus ba é an cás céanna é le bean a mbeadh aon tsaghas aibíde uirthi, aibíd na gCarmelíteach, cuir i gcás.

13.

Na Benedictínigh, na Cláracha Bochta, na Doiminiceánaigh, cé an t-ord eile de mhná rialta bhí i gceantar Theampall N. Michen sa 17ú agus 18ú céad? Na Carmelítigh, ar ndó. Bhíodar sin ann, idir athracha agus siúracha. Taispeánann an stair láimhscríofa atá i seilbh na n-athracha—bhí sé de phléisiúr agam gabháil tríd an gcuid de a bhain lem scéal i bhfochair an Athar Gaibrial, staraí an Chúige—go raibh na siúracha i mBaile Átha Cliath ó am go ham sa seachtú aois déag fearacht na nOrd eile agus gurbh í an bhliain 1690, tar éis briseadh na Bóinne, gan dabht, an uair dheiridh sa gcéad sin arbh éigean dóibh greadadh leo. Ach fairíor géar, níl aon eolas, beag ná mór, thairis sin le fáil. Ní féidir a dhearbhú mar sin nár Charmelítigh Mrs. Talbot agus Mrs. Woodward más rud é nár Bhenedictínigh iad.

Bhíodar ar ais i 1730 le sála na gCláracha Bochta agus na nDoiminiceánach, doscán beag díobh ó Bhaile Locha Riabhach. Chuireadar fúthu ar dtús i Fisher's Lane agus d'aistríodar as sin go dtí Pudding Lane (Lincoln Lane a tugtar air ó 1776 anall) a ghabhas idir Ché Árann agus Sráid na mBóic, agus atá beagnach faoi scáil thúr mhóir Theampall N. Michen. D'fhanadar sa gceantar go dtí 1788 agus chrochadar leo ansin go dtí Raghnallach, áit a bhfuil siad an lá atá inniu ann. Tá liosta i stair an Chúige de na siúracha uilig a rinne a bproifisiún sa mainistir ó 1730. Ar an droing sin bhí triúr deirfiúracha darbh ainm

Bellew, ach ní raibh gaol ar bith acu leis an Mrs. Bellew as Co. Lughbhaidh, an chéad Mháthair-Uachtarán a bhí ar Dhoiminiceánaigh Channel Row. An duine ba shine den triúr, Agnes Bellew, Mother Mary of St. Joseph, bhí cáil naofachta thar an gcoitiantacht uirthi agus léigh mé i stair an Oird go raibh sé breactha síos i seanláimh-scríbhinn atá ag na siúracha i Raghnallach faoi láthair go bhfuarthas a corp gan lobhadh tamall tar éis a báis, ach níorbh eol do dhuine ar bith cé an áit ar cuireadh an corp an chéad uair nó céard a rinneadh leis nuair a fuaireadar gan lobhadh é. Ní abrann an stair ach an oiread cé an chaoi ar tharla gurbh éigean an corp a thógáil as an uaigh nó cá háit a raibh sé ar dtús. An sagart—an tAthair Fiontán—a chnuasaigh an t-ábhar ní raibh a fhios aige cá hadhlactaí na mná rialta ach chreid sé gurbh í an reilig sin N. Shéamais a luamar cúpla uair cheana an áit. D'admhaigh sé, ámh, go mb'fhéidir gur i *reilig* N. Michen a cuireadh iad ach i nóta le himeall an ráitis sin deir sé gur iniúch sé cláracha N. Michen idir na bliana 1730 agus 1790 agus nach raibh tada dá bharr aige.

Is cosúil gur cailleadh seisear siúracha i mBaile Átha Cliath le linn an mhainistir iar-1730 sin a bheith i gceantar Theampall N. Michen, ach ní féidir dáta báis ar bith acu a thabhairt. Seo é an liosta iomlán : Margaret Neilan, Elizabeth Curtis, Agnes Bellew, Lucy Bellew, Eleanor Ivers, agus Mary Bellew. I gcás an trír deiridh tá sé ráite gur éag siad idir 1767 agus 1788.

Maidir le hathracha an Oird, d'athbhunaíodh a mainistir sin i 1685 i Hammond Lane (Hangman's Lane) ar chuid den láthair ar a bhfuil monarcha lasán Maguire and Paterson faoi láthair. Le linn Tír Chonaill a bheith ina Oirrí tháinig bláth agus borradh ar na Carmelítigh. Tosnaíodh ar an Aifreann a rá go poiblí arís agus chuaigh na sagairt thart ina n-aibídí gan scáth gan eagla. Is follas ó stair an Chúige go raibh tionchair mór ag an Ord ar idir shaibhir agus daibhir san am. Maireann irisí fós i mainistir Bhaile Locha Riabhach a thaispeánas ainmneacha na n-uasal agus ainmneacha na ngnáthdhaoine fré chéile a bhí ina mbaill de Chuallacht an Scabaill. Orthu sin tá clann an tseachtú Iarla Clann Riocaird—duine acu an Bhaintiarna Onóir do phós Pádraic Sáirséal, " grá ban Éireann."

Ar eagla na heagla cheapas gur chóir dom an láimhscríbhinn úd a dtagartar dhi i stair láimhscríofa an Oird a fheiceáil agus thug sin amach go dtí mainistir na gCarmelíteach i Raghnallach mé. Téann tú isteach trí gheata mór iarainn faoi áirse an bhóthair iarainn agus tar éis dorchadas na háirse istigh a chur dhíot seo casán fada féarmhar romhat agus feadh do radhairc páirceanna áille glasa. Iompaíonn tú ar do dheis ar ball agus siod é é ar do dheis, an teach breá ba le hEaspag Protastúnach Dhoire tráth agus a bhí ina theach ósta faiseanta ina dhiaidh sin taobh amuigh den chathair.

Bheannaíos do dheilbh na Maighdine Muire a bhí ar aghaidh an tí amach agus chuas tríd an doras isteach mar ar fhógair bean a bhí ag níochán an halla mé tríd an *grill* do shiúr eicínt taobh istigh. Bhí blas breá Bleácliach ar a caint :

" Tá duine uasal anseo a dteastaíonn uaidh labhairt leat, a Shiuír."

D'inseas m'ainm is mo shloinneadh agus fáth mo theachta don " chogar " mín banúil ar an taoibh thall den *grill* is tiubha dá bhfacas ariamh agus seoladh mé trí dhoras iontach líofa a d'oscail uaidh féin, shíl me, trí halla gearr dorcha agus isteach i bparlús breá ard agus leathan a raibh dhá fhuinneoig air. Idir an doras agus an fhuinneoig chlé is ea bhí an *grill*, an *grill* ag a labhrann cuairteoirí leis na mná rialta gan iad fheiceáil. D'fhan mé ansiúd go dtáinig an Mháthair-Uachtarán. D'airíos doras dá oscailt ar an taoibh thall den *grill*, éadaí mná agus paidrín ag bualadh i gcoinne rud eicínt agus ansin an guth ciúin aoibhinn ag glaoch " Moladh le hÍosa Críost ! "

Chuir sí fáilte romham agus d'iarr orm cathaoir a tharraing aníos go dtí an *grill*. Rinneas agus bhíos ansiúd ag caint is ag comhrá léi ar feadh breis is uair a chloig. Bhí cúrsaí na mainistreach sin siar go dtí an tráth a raibh sí i gceantar N. Michen ar bharr a méar aici agus ba mhór an spreagadh dom intinn labhairt léi. Bhí an láimhscríbhinn aici a luaigh an tAthair Fiontán agus roinnt cháipéisí inspéise eile ach níor mhúineadar mórán dom nach raibh ar eolas agam cheana, ach gur bunaíodh na Siúracha Carmelíteacha i mBaile Átha Cliath ar dtús idir 1630 agus 1640, gur cuireadh scaipeadh orthu i 1653, gur athbhunaíodh roimh 1661 iad agus gur fhanadar ar Ché Árann go dtí 1690. D'fhéadfadh Mrs. Talbot agus Mrs. Woodward bheith orthu gan aon dabht, go mórmhór dá mba Shasanaigh iad a lán de Charmelítigh Bhaile Átha Cliath an uair úd, agus is dóigh liom gurbh ea.

Níor chuala an Mháthair-Uachtarán gur Crookshank ab ainm d'éinne a bhain leis an mainistir ariamh. Maidir leis an sloinneadh sin a bheith ar bhordaera, do bhí a fhios aici go raibh bordaerí acu ar Ché Árann agus i Raghnallach féin—" Féach ar phánaí na bhfuinneog ar do chúl agus feicfidh tú síniúcháin chuid acu "—ach chomh fada lena heolas níor Chrookshank duine ar bith acu. Léas ar ball i gceann de na leabhra láimhscríofa a thaispeáin sí dhom go dtagadh " an file Éireannach Cataoiliceach Ó Mórdha go minic ag ól tae tráthnóna leis na mná rialta nuair a bhí sé ina ghasúr." Tharla gur tógadh mise i mbéal dorais theach an Mhórdhaigh níorbh ionadh suim agam sa mblúire nuaíochta seo.

D'insíos don mhnaoi uasail ar an taoibh eile den *grill* an cruachás ina rabhas, go raibh corp na mná rialta seo ar mo lámha, mar adéarfá, agus nach raibh a fhios agam céard a dhéanfainn leis. Ní nárbh aisteach, rith sé chuici gur Agnes Bellew a bhí agam, agus táim cinnte go raibh sí ag guidhe Dé gurbh í. Dúras léi, ámh, gurbh eagal liom go gcaithfinn bheith sásta nár hadhlacadh i dTeampall N. Michen an corp tar éis é thógáil as an uaigh. Dá n-adhlactaí, gheobhadh an tAthair Fiontán tásc air in irisí an teampaill, ach ní bhfuair. Céard déanfaí ins an am úd le corp a gheofaí gan lobhadh, d'fhiafraigh sí dhíom, agus céard d'fhéadfainn a fhreagairt ach go gcuirfí ar ais sa gcré é faoi mar do rinneadh le corp Felix O'Riordan, Ard-Easpag Thuama den 13ú aois, nuair do frítheadh neamhlofa i 1718 é i bhfothrach shean-Mhainistir Mhuire. Ach ar eagla an dearmaid dúras leis an Máthair-Uachtarán nach ligfinn Agnes Bellew as mo chuimhne ar fad.

Ag trácht ar aois mhóir Miss Crookshank dúinn thaispeáin an Mháthair-Uachtarán óna hirisí dom go raibh bean rialta amháin sa mainistir acu, uair, a cailleadh nuair a bhí sí beagnach céad bliain d'aois, ach is i Raghnallach a cailleadh agus a cuireadh í. Agus ádhúil go leor, bhí péintéireacht dhi sa bparlús, maraon le trí cinn eile, ó láimh shiúrach cliste áirithe a ghabh leis na Carmelítigh le fonn a saol a chaitheamh ag guidhe ar son anma a hathar, a d'iompaigh ina Phrotastúnach. Chífidh an léitheoir cóip den phéintéireacht seo ar aghaidh leathanach 64 seo : an ghné is spéisiúla dhi go bhfuil gnáthéadaí na linne dá gcaitheamh ag an tseantsiúr.

Sul ar scaras léi tharraing an Mháthair-Uachtarán an cruitín taobh thiar den *grill* do leataoibh agus do thaispeáin dom seod mór na mainistreach, *monstrance* álainn airgid a rinneadh i bPáras do na siúracha i 1661, go bhfuil inscríbhinn faoina bhun dá léiriú go rabhdar an uair úd i mBaile Átha Cliath. Is ríbhreá an soitheach é agus is é a húsáideadh le haghaidh Beannú na Sacraiminte Ró-Naofa sa teach úd in aice le Cé Árann agus ariamh ó shoin. Bheadh eolas maith ag Cataoilicigh cheantar N. Michen air agus ag Miss Crookshank más ann a bhí sí ina cónaí.

14.

Bhíos tar éis iniúchadh a dhéanamh feadh an líne gan briseadh de mhná rialta a raibh cónaí orthu i bhfogas do Theampall N. Michen ó 1686 anall go dtí timpeall 1780 ach céard a bhí dá bharr agam ? Bhí faighte amach agam ó irisí an teampaill féin (1) go gcuirtí Cataoilicigh ins na luscaí, (2) gur cuireadh beirt bhan rialta—Benedictínigh nó Carmelítigh, ní raibh a fhios agam ciacu—idir 1686 agus 1690 agus bhí leatuairim agam gur dhuine muinteartha le Diúic Thír Chonaill duine acu. Bhí faighte amach agam ina cheann sin go raibh corp neamhlofa Carmelítigh, Agnes Bellew, ar iarraidh ó timpeall 1760, ach do dhealraigh sé nach i luscaí an teampaill a hath-adhlacadh í. Bhí sin go léir spéisiúil agus cuid de tábhachtach ach níor réitigh sé an fhadhb lenár thosnaíos. Bhí corp na mná rialta fós gan aithint : go dtí go bhféadfainn ainm agus sloinneadh agus dátaí a thabhairt dó agus scoraí an Mhadánaigh a dhearbhú nó a bhréagnú ní bheadh mo chuid oibre déanta. Chaithfinn mionscrudú a dhéanamh mar sin ar na tagairtí do na luscaí a bhí léite agam agus scóp mo léitheoireachta a mhéadú a thuilleadh fós. Chaithfinn na nuachtáin féin a chuardach, b'fhéidir, ach b'shin é an ní deiridh a dtiúrfainn faoi. Bhí a fhios agam gurbh obair mharfach é, go mórmhór mura bhféadfainn an tréimhse a bheadh le cuardach a chúngú go mór.

Thosnaigh mé arís, dá bhrí sin, ar na páipéirí is túisce a tháinig faoi mo láimh nuair a chuas i mbun na tóraíochta seo den chéad uair. Mo chéad pháipéar, b'é paimpléid Canon Young é. Léas go cúramach arís é agus do chuir uaim é—shíl mé nach raibh faic ann a chuideodh liom. Chuig an Madánach a d'iompaíos ansin. Bhí mé tar éis tuilleadh aithne a chur ar an Dochtúir ón gcéad uair a léigh mé a *Bheathaí*. Bhíos tar éis sciurd a thabhairt tríd an mbeathaisnéis a chuir sé féin agus a mhac le chéile agus a foilsíodh tamaillín tar éis a bháis. Bhí tuairimí dhaoine eile cloiste agus léite agam faoina shaothar agus a mhodhanna oibre; agus ní ba thábhachtaí ná sin go léir i láthair na huaire bhí faighte amach agam go dtáinig eagrán nua de na *Beathaí* amach in 1860 le linn an Madánach a bheith ina bheathaidh agus gur úsáid sé é chun an chéad eagrán a cheartú in áiteacha. Bhí a fhios agam freisin dá dhúthrachtaí é mar bhailitheoir eolais—ní raibh a shárú le fáil, dar liom—go raibh an Madánach neamhchruinn, neamhchúramach go minic agus go mb'fhurasta dhó an léitheoir a chur amú. Bhí a chruthú sin le fáil agam féin gan rómhoill.

Leag mé amach ar an mbord sa Leabharlainn Náisiúnta romham mar sin an dá eagrán de na *Beathaí* agus chuir mé na tuairiscí faoi Theampall N. Michen i gcomparáid lena chéile. Bhí difríochtaí eatarthu. D'fhág an Madánach ar lár dhá rud a bhí aige sa gcéad eagrán. D'fhág sé ar lár ar dtús an tagairt do " spioraid an uisce bheatha, ar mhíádhmharaí an domhain, agus spioraid an ómóis a bhí ag na daoine do shubháilcí na mná rialta " dá meascadh trína chéile " gur loiteadh patrún a raibh tuar na maitheasa ann." Ina áit sin, chuir an Madánach abairt isteach ag tagairt do " achrainn áirithe a tharla." Ní athrú bunúsach é sin ach mar sin féin ba mhaith liom a fhios a bheith agam cé nó céard ba siocair leis an athrú. An tarna easnamh sa dara eagrán is é an t-alt gearr seo é :

> " Ins an tuamba céanna ina bhfuil Énrí agus Seán Síoras tá corp Samuel Rosborough, fear go raibh a bheag nó a mhór d'iomrá air i mBaile Átha Cliath tráth, agus fós corp mná rialta, Miss Crookshank, a ndearna a comhchathraitheoirí Cataoiliceacha í leathchanónú ina n-intinn féin beagnach céad bliain ó shoin."

Nuair a chonaic mé an tagairt do leathchanónú imithe in éindigh leis an tagairt do " spioraid an ómóis . . . do shubháilcí na mná rialta " mheasas go raibh an Madánach tar éis teacht ar an intinn uaidh féin nó ar chomhairle dhuine eicínt eile gur cheart a bheith níos discréidí maidir le naofacht a chur i leith na mná rialta ; ach más é sin a bhí uaidh dhearmad sé an tagairt sa gcéad eagrán do na hiontaisí a d'oibríodh corp na dea-mhná. Fanann sin sa dara eagrán agus dá bhrí sin caithfimid glacadh leis gur chreid an Madánach in 1860 faoi mar chreid sé in 1842 go raibh buanna as an gcoitiantacht ag Miss Crookshank.

D'athraigh an Madánach dhá dháta freisin. In áit

" i mí na Feabhra an bhliain atá anois ann " a bhí in eagrán 1842 tá " Eanáir, 1842 " sa dara ceann ; agus gheibhimid " timpeall 1832 " in ionad " tuairim is cúig nó sé bliana ó shoin." Dhá cheartú suimiúla i leith an chruinnis iad sin. Déanann an dara ceann difríocht de cheithre nó cúig bliana.

An meamram clóbhuailte atá greamaithe isteach i mo chóipse den chéad eagrán, níl tagairt ar bith dhó ná don údar, W. Powell, in eagrán 1860. Ach mura bhfuil tá ábhar nua ina áit, cuntas ó leabhar le W. H. Curran, mac John Philpott Curran, do scríobhadh i 1822.

15.

Le go bhfeicfidh an léitheoir an pictiúir iomlán mar chonaic an Madánach é in 1860 sílim nach fearr rud a dhéanfainn anois ná an ráiteas sa dara eagrán a thabhairt i mo dhiaidh anseo ina ghiotaí beaga agus trácht a dhéanamh orthu do réir mar is dóigh liom is gá.

> " There is some peculiarity *in the soil of this place of burial*, as well as in the atmosphere of the vaults beneath the church of St. Michan, the tendency of which is to resist decomposition, and to keep the dead bodies, especially those deposited in the vaults, in a state of preservation . . . "

Más tagairt é seo do chré na reilige lasmuigh is doiligh a chreidiúint go bhfuil an ceart ag an Madánach. Ar aon chaoi ní fhaca ná níor chuala mé in áit ar bith gur tógadh corp as talamh na reilige ach aon uair amháin. Tá an cás sin le feiceáil in irisí clóbhuailte an teampaill ach ní abraítear tada faoi staid an choirp.

> " Bodies which have been interred *for upwards of*

a century in St. Michan's are to be still seen in the vaults in a state of preservation as perfect as that of the exsiccated mummies of the humbler classes of the Egyptians . . ."

"Upwards of a century" a bhí ag an Madánach in 1842 freisin. Tuige nár cheartaigh sé é in 1860? An é an chaoi ar dhearmad sé é dhéanamh? Murar dhearmad, caithfimid glacadh le 1760 nó faoina thuairim sin mar bhreithiúnas an Mhadánaigh ar aois na n-adhlactha is sine de na coirp a bhí ar taispeáint in 1860. Níl a fhios agam, ar ndó, cé an chaoi a raibh na marbháin in 1860 agus táim gan eolas ar an gcineál coinneála a déantar tar éis a mbáis ar dhaoine bochta san Éigipt, ach chuirfinn geall go bhfuil an Madánach ag déanamh áibhéil anseo. Ach pointe gan tábhacht é sin le hais na tagairte i dtosach a abairte do "bodies which have been interred for upwards of a century" agus don abairt seo a leanas í:

> "One of these bodies, 'whose antiquity is of an ancient date,' for the tenants of European sepulchres, is still existing in the same vault in which the Sheares' remains are interred: the remains are those of a person in former times renowned for her piety—a member of a religious community—of the name of Crookshank."

Seo sampla seoidh de chomh deacair is tá sé uaireanta ciall a bhaint as ráitisí an Mhadánaigh. Más ag caint ar choirp atá adhlactha le "suas le céad bliain" atá sé tá a fhios againn cá bhfuilimid agus shílfeá go rialódh an abairt sin gach a leanann í, ach más fíor sin céard a chiallaíos "one of these bodies 'whose antiquity is of an ancient date,'* for the tenants of European sepulchres" ? Shíl mé ar feadh i bhfad go raibh coinbhliocht idir an dá ráiteas ach creidim anois nach bhfuil ; nach bhfuil ag an Madánach dá rá ach go bhfuil sé sean go maith i gcomórtas le coirp i " European sepulchres" eile. Ár gcara—d'fhéadfaimis a rá leis an Madánach " ár sean-chara"—Miss Crookshank atá i gceist.

> " Some sixty or seventy years ago the wonder-working effects produced by this good lady's remains used to bring vast numbers of visitors to the tomb, till the occurrence of some disorders caused the intervention of the authorities."

Nótálas cheana féin go raibh " some sixty or seventy years ago" ag an Madánach san eagrán de 1842 : má bhí sin ceart ansin, cad ina thaobh nach bhfuil " some eighty or ninety years ago" nó " some ninety or a hundred years ago" anseo ? Ach chinneas nárbh fhearr rud a dhéanfainn ná glacadh lena ndúirt an Madánach san eagrán de 1860.

> " Poor Miss Crookshank's relics, from that period till about 1816, when I first saw them, were visited only by curious boys and scientific gentlemen."

Duine de na " curious boys" ab ea an Madánach féin gan dabht : bhí sé ocht mbliana déag in 1816. Rugadh i 1798 é le linn póilíní Major Sirr do bheith ag cuardach theach a athar. Níorbh ionadh suim aige ar ball ins na hÉireannaigh Aontaithe.

> " In the month of January, 1842, after a lapse of twenty-six years, I found the remains of the nun

*B'fhéidir go bhféadfadh léitheoir eicínt a inseacht dom cá bhfuair an Madánach an ' whose antiquity is of an ancient date ' sin.

removed from the place where they were originally deposited, as likewise those of John and Henry Sheares, and deposited in what is called the parish vault."

Má fhéachann an léitheoir ar an gcairt ar leathanach 28 a tarraingeadh in 1869, chífidh sé go raibh na Síoras an uair sin i Lusca a 2 agus " The Mummies and other Coffins " i Lusca a 4 agus rinne mé talamh slán de gur cheann de na marbháin sin an uair sin an bhean rialta. Ach ba shuimiúil an píosa eolais é go raibh na Síoras agus Miss Crookshank ins an Lusca céanna (an *Parish Vault*) in 1842, agus gur tugadh ansin iad ó pér bith lusca nó luscaí a bhfaca an Madánach iontu iad in 1816. (Táim den tuairim nach ón lusca céanna a hathraíodh iad ach go rabhdar i luscaí difriúla. Níl ráiteas an Mhadánaigh " as likewise those " róchruinn, ámh.)

D'fhiafraíos de mhuintir an teampaill ciacu de na luscaí an " parish vault." Níor chuala éinne acu an t-ainm sin dá ghlaoch ar aon chuid den áit. Measaim féin nach bhfuil aimhreas ar bith ann ná gurb é Lusca a 2 é ar chairt sin 1869. Chífear uaithi sin gurb é an seomra is fairsinge díobh go léir é. Bhraithfeá ón dá bhealach isteach (tá ceann acu dúnta le fada an lá) gurbh é an ceann ba mhó a húsáidtí, ach tá a fhios againne de thairbhe irisí clóbhuailte an teampaill don 17ú céad a scrúdú nach fíor é sin—go raibh Lusca an Chaingeil lán chomh tábhachtach leis. D'athraigh an scéal, ar ndó, nuair a dúnadh Lusca an Chaingeil, pé uair a tharla sin. Taispeánann seancháipéis i sacriosta an teampaill dar teideal *Table of Accustomed Fees* na táillí a baintí amach i gcás adhlactha " in [the] Chancel Vault and in the first range of next vault." Níl a macsamhail de tháillí luaite do na luscaí eile agus léim as sin gur cineál lusca ginearálta an *Chancel Vault*, agus nuair a dúnadh é sin nach raibh d'áit don choitiantacht ach an chéad uaimh i Lusca a 2. Má bhí an ceart agam sa méid sin, tá na Síoras fós sa *Parish Vault* faoi mar bhíodar in 1842 ach hathraíodh Miss Crookshank as sin go dtí Lusca a 4 idir 1842 agus 1869.

Sul a bhfága mé an *Table of Accustomed Fees* ba cheart dom a rá go bhfuil cosúlacht ar an mBéarla ann gur cuireadh i dtoll a chéile é achar maith roimh 1869, dáta na cairte. Taispeánann an tábla trí chineálacha daoine arbh fhéidir a gcur ins na luscaí: (1) iad sin go raibh uamhna príobháideacha acu, agus is follas ó chairt sin 1869 gur thógadar seo an chuid is mó den spás, (2) muintir an pharáiste nach raibh uamhna príobháideacha acu, agus (3) "coigrígh" nach raibh uamhna príobháideacha acu, agus is é an chiall a bhí le "coigrígh" daoine nár bhain leis an bparáiste. Chaithfidís-sin táillí dúbalta íoc. "Coigrígh" ab ea na Síoras: i dteach ar choirnéal Sráid Bhagóid agus Sráid Pembróc a bhíodar ina gcónaí nuair a rugadh orthu agus ba i gcill N. Peadair i Sráid Áinséir a bhí áit adhlactha a muintire.

> "Up to the time of the removal which took place about 1832, the remains continued, I was informed, in the same perfect state in which they have been long known to exist. But the exposure to the air, consequent to the removal of her remains, and those of the Sheares on the same occasion, had proved injurious to them, and to the latter especially."

Ós rud é nach bhfuil aon chasán faoin talamh idir na luscaí dob éigean na corpáin d'iompar amach san aer ar a mbealach go dtí a n-áitreabh nua. Níorbh fhearrde iad é sin, ar ndó, agus b'éigean do Miss Crookshank boicht an dara aistear a sheasamh, uair éigin tar éis don Mhadánach an dara eagrán de na *Beathaí* a fhoilsiú. Mar sin féin tá sise le feiceáil go fóill agus tá coirp na Síoras loitithe thar fóir. Tuige? Níorbh é an t-aistear amach faoin aer is mó ba chúis leis ach an taise a tugadh isteach go dtí iad ins na bláthfhleascanna do leagadh ó am go ham in aice leo san uaimh. Sin scéal ar chuma ar bith a bhí coitianta go leor agus is fíor, le linn cuimhne céad 1798 a bheith dá chomóradh, go raibh an uaimh lán de bhláthanna agus de fhleascanna airtifisialta ach um an dtaca sin bhí an díobháil déanta. Dar liomsa go bhfuil an uaimh sin i Lusca a 2 mar a bhfuil na Síoras faoi láthair réasúnta tais: níorbh fhearrde corp ar bith tamall a chaitheamh ann. Ach is é mo thuairim ina cheann sin gurbh fhliche fós an chéad áit inar cuireadh na Síoras, péacu b'é sin Lusca a 1 (Lusca an Chaingeil) nó nárbh é. Bhí an bhean rialta in ann na blianta a chaitheamh i bhfochair na Síoras i Lusca a 2 gan titim as a chéile. Caithfidh sé go raibh cuma níos fearr uirthi ar dhul ann di ná bhí ar na Síoras.

16.

Insíonn an Madánach ansin scéal ríspéisiúil faoin eachtra a bhain do cheann Sheáin Síoras—tiocfaimid go dtí sin ar ball—agus cuireann sé bailchríoch ar an gcaibideal mar seo:

> "The following is the interesting account . . . of the vaults of Michan's Church (written in 1822) to be found in the late Mr. William Henry Curran's *Sketches of the Irish Bar*: 'You descend by a few steps into a long and narrow passage that runs across the site of the church: upon each side there are excavated

ample recesses, in which the dead are laid. There is nothing offensive in the atmosphere to deter you from entering. The first thing that strikes you is to find that decay has been more busy with the tenement than the tenant. In some instances the coffins have altogether disappeared ; in others the lids or sides have mouldered away, exposing the remains within, still unsubdued by death from their original form. But the great conqueror of flesh and blood, and of human pride, is not to be baffled with impunity. Even his mercy is dreadful. It is a poor privilege to be permitted to hold together for a century or so, until your coffin tumble in about your ears, and then to reappear, half skeleton, half mummy, exposed to the gaze of a generation that can know nothing of your name and character, beyond the prosing tradition of some moralizing sexton. Among these remnants of humanity, for instance, there is the body of a pious gentlewoman, who, while she continued above ground, shunned the eyes of men in the recesses of a convent. But the veil of death has not been respected. She stands the very first on the sexton's list of posthumous rarities, and one of the most valuable appendages of office. She is his buried treasure. Her sapless cheeks yield him a larger rent than some acres of arable land ; he calls her to her face 'the Old Nun.' In point of fact, I understood that her age was one hundred and eleven years, not including the forty that have elapsed since her second burial in St. Michan's."

Ní call dom a rá cé an gheit a bhain an sliocht sin asam ar a léamh dom don chéad uair. D'aithníos a mhórthábhacht ar an bpointe boise. Ar an gcéad dul síos, ba tuairisc scríofa í seo a bhí fiche bliain níos luaithe ná an chéad eagrán de *Bheathaí* an Mhadánaigh. Ní hamháin sin é ach níor bhréagnaigh sé ráiteas an Mhadánaigh in aon phointe agus bhí an ráiteas sin, cuid de, bunaithe ar céard ba chuimhin leis an Dochtúir in 1842 dá bhfaca sé ar a chéad chuairt ar an teampall in 1816.

Is tapaidh a tháinig an Curraoineach ar an bhfírinne i dtaoibh na luscaí agus is cruinn a labhair sé fúthu nuair a scríobh sé na focla : " The first thing that strikes you is to find that decay has been more busy with the tenement than the tenant." Mheasas gurbh shin é go díreach é, go meathann adhmad na gcomhraí sa teampall níos tapúla ná na coirp. D'fhoghlaimíos ina dhiaidh sin gurbh éigean comhraí nua a sholáthar do na marbháin cúpla uair nó trí le tuilleadh beag is céad bliain agus, chomh fada lem bharúil, níl meath na marbhán baol ar chomh tapaidh leis sin.

Ach mheasas go ndúirt an Curraoineach rud ansin a bhí bun os cionn ar fad leis sin. " It is a poor privilege," ar seisean, " to be permitted to hold together for a century or so, until your coffin tumbles in about your ears . . ." Nach sílfeá as sin gurbh éard a bhí an Curraoineach a dhéanamh ag tabhairt " a century or so " de ré saoil do chomhraí an teampaill. Ach tamaillín ina dhiaidh sin arís deireann sé go raibh comhra na mná rialta titithe as a chéile tar éis dachad bliain (" . . . the forty that have elapsed since her second burial.") Le ceart a thabhairt don Churraoinineach, ámh, b'fhacthas dom go bhféadfaí réiteach a dhéanamh idir an dá ráiteas seo a shílfeá ar an gcéad amharc a bheith ag gabháil in aghaidh a chéile. Chomh fada lem thuairim ag an am sin bhí an Curraoineach ag iarraidh

Bean Rialta Charmelíteach Eile den 18ú Aois

a rá go raibh an comhra dachad bliain roimh 1822 san áit ina bhfaca sé féin é agus go raibh sé i dtaisce in áit eicínt eile roimhe sin. Ní abrann an Madánach tada faoin deighilt ama, rud do chruthaigh, dar liom, gur chreid sé go raibh an corp i dhá n-áit difriúla i gcaitheamh an chéad bhliain. Bhí a fhios agam cá raibh sé idir 1782 agus 1822. Cá raibh sé idir 1722 agus 1782 ?

Bhí rud amháin cinnte : chaithfeadh sé bheith in áit tirim. Ní dhéanfadh reilig N. Michen an gnó nó, dá ndéarainn é, aon reilig eile. Lobhfadh an chomhra is fearr dá ndearnadh ariamh sa talamh is tirime i níos lú ná deich mbliana gan trácht ar sheasca. Agus cé an áit a mbeadh sé tirim ach i lusca eile i dTeampall N. Michen nó i dteampall eicínt eile ?

Ba ghreannmhar an scéal é gurbh é an chomhra seo do mhair céad bliain a bhí ag déanamh buartha dhom ag an am seo agus nárbh é an corp. B'fhurasta dom a thuiscint go mairfeadh corp ar feadh na saol dá mba toil le Dia é, agus go bhfaighfí slán sa talamh is fliche é gan máchail air faoi mar tharlaíos do choirp dhaoine áirithe gur mian le Dia go bhfaigheadh sé féin nó A Eaglais ómós tríothu. Agus ní rabhas dá dhearmad gur dhuine den tsaghas sin a bhí i gceist anseo, b'fhéidir bean go raibh cáil na naofachta uirthi agus míorúiltí dá lua léi. Ba mhór an trua, shíleas, gur shásaigh an tAthair Fiontán, Carmelíteach, é féin nach i luscaí N. Michen a hadhlacadh Agnes Bellew. D'fheilfeadh a scéal sise go maith dom anseo, siúd is go mbeadh sé deacair é réiteach le cuntas an Churraoinigh ó thaoibh dátaí.

Bhí cúpla ceist beaga le freagairt agam, ar ndó. Ar an gcéad ásc, cé an chaoi ar tharla gan cuntas ag an Eaglais féin ar na himeachtaí seo go léir, go háirithe ó ba chosúil go raibh siad ar bun gar do dheireadh na 18ú aoise. Agus arbh féidir go gcuirfeadh údaráis Phrotastúnacha an teampaill oiread sin comaoine ar Chataoilicigh agus go ligfidís corp isteach chun cónaithe leo go raibh na Cataoilicigh céanna ag déanamh oirid sin iontais as? Ach ós rud é nach rabhas ábalta na ceisteanna sin a fhreagairt, níor fhéadas ach iad fhágáil do leataoibh go fóill.

Do chuireas síos in ord a chéile na dátaí éagsúla a thug an Madánach, an Curraoineach agus irisí na gCarmelíteach dom, féachaint céard a thaispeáinfidís dom. Is mar seo a bhíodar:

1722 (*circa*) Cailleadh an bhean rialta agus cuireadh í don chéad uair (do réir an Churraoinigh).

1760 (*post*) Cailleadh Agnes Bellew.

1782 (*circa*) Cuireadh an bhean rialta i dTeampall N. Michen an dara uair (do réir an Churraoinigh).

1790—1800 Stopadh na hoilithreachtaí go dtí tuamba na mná rialta i dTeampall N. Michen.

1816 Chonaic an Madánach corp na mná rialta don chéad uair.

1822 (*circa*) Chonaic an Curraoineach an corp.

1842 Chonaic an Madánach an corp don dara uair.

Sé a bhfuaireas de léargas ón tábla sin ná go bhfacas an t-achar gearr idir an dara adhlacadh agus stopadh na n-oilithreachtaí. Níor thug sé tuairim ar bith dhom, ámh, i dtaoibh cé an uair ar thosnaigh suim an phobail sa mnaoi rialta. Ar thosnaigh sin tar éis an dara adhlactha nó faid a bhí an corp in áit eicínt eile?

17.

Gidh go bhfuil luscaí Theampall N. Michen ar oscailt

don phoiblíocht le fada an lá is iontach a laghad a scríobh lucht eolaíochta mar gheall orthu. Ní heol dom ach dhá iarracht i rith an achair sin ar bhuanna dímhorgthacha na háite a thuiscint agus a mhíniú go beacht, agus tugtar tuairisc orthu sin i léacht do thug Arthur Vicars, F.S.A.,* in 1888 don Royal Archæological Institute of Great Britain and Ireland, ag Leamington. Ní gá dom cuntas a thabhairt anseo ar na trialacha a rinne Sir Charles Cameron, F.R.C.S., sna luscaí in 1879 ná a rinne ceimiceoir áirithe nach luaitear a ainm, dáta a aiste nó fiú ainm an tréimhseacháin inar foilsíodh é. Duine ar bith a bhfuil suim aige sa ngné seo dem scéal gheobhaidh sé an t-eolas i léacht Vicars : tá cóip de sa Leabharlainn Náisiúnta.

> "Cameron's theory," do réir Vicars, "is that the peculiarities of these vaults are due partly to their undoubted dryness, and partly to the great freedom of their atmosphere from dust."

Is deacair liom an dara chuid den ráiteas sin a thuiscint agus ní hé adúirt an ceimiceoir. Dá réir sin :

> "The floor, walls, and atmosphere of the vaults of St. Michan's are perfectly dry ; the flooring is even covered with dust, and the walls are composed of a stone peculiarly calculated to resist moisture. This

*B'é seo an duine céanna a bhí ina Ulster King of Arms in Iúl, 1907, nuair do fuadaíodh uaidh seoda na Knights Companions of the Most Illustrious Order of St. Patrick dá ngairmtí go coitianta na *Crown Jewels*. B'fhiú £50,000 iad. In Aibreán, 1921, do thóg na hÓglaigh as a áit chónaithe, Kilmorna House, in aice le Lios Tuathail é, do lámhaigh é, do ghreamaigh fógra dá bhrollach dá chur in iúl gur spiaire é, agus do chuir an teach trí lasadh. Bhí sé 57 mbliana d'aois ansin. hAdhlacadh é i Leck hampton in aice le Cheltenham i Sasana, an áit ar rugadh é.

> combination of circumstances contributes to aid nature in rendering the atmosphere of those gloomy regions more dry than the atmosphere we enjoy. Further, it appears that in none of the bodies deposited here are any intestines, or other parts containing fluid matter, to be found, having all decayed shortly after burial."

Ní thugann Vicars tuairim ar bith uaidh féin. Deir sé, agus is fíor dó, gur mó de cheist " for a scientific man than for an antiquary " í.

Shiúil Vicars na luscaí ag bailiú ábhair dá léacht, nó trí cinn díobh ba chirte dhom a rá. Bhí sé i Lusca a Dó, a Cheathair agus a Chúig. Dhearmad sé ar bhealach eicínt uimhir a Trí (an lusca a dtugtar an *Tighe Vault* air) agus chlis ar an gCléireach an doras ar uimhir a hAon (Lusca an Chaingeil) a oscailt dó. Dúradh leis, ámh, nach raibh éinní inspéise istigh ansin ach " duine uasal a raibh saiste buí faiscthe timpeall air." Seo iad na rudaí ba shontasaí dá bhfaca sé. In uaimh na nOsbornes i Lusca a Chúig, sé comhraí ina seasamh beagnach díreach suas in aghaidh an bhalla. Dúirt duine eicínt le Vicars gur nós ariamh é an cine sin d'adhlacadh amhlaidh ionas go mb'fhusa dhóibh glaoch an trúmpa a fhreagairt lá deiridh an domhain ; ach dar liomsa go dtagann Vicars ar an bhfáth ceart nuair adeireas sé linn céard do tharla in uamhna eile inar leagadh comhraí anuas ar bharr a chéile :

> " Bhí gach aon tsórt sa gcéad uaimh eile—comhraí ag lobhadh agus ag titim as a chéile agus iad ar mhuin mairc a chéile thall is i bhfus. Taispeánadh anseo dhom corp fir go bhfuil píosa crêpe ceangailte ar a shúile. Is é barúil an Chléirigh gur comhartha é seo gur croch-

adh an fear agus níl sin dochreidte mar scéal arae tá an teampall suite i ngar do shean-Newgate, príosún Bhaile Átha Cliath."

Thóg Vicars fótógraf d'uaimh na momach i Lusca a Cheathair. Deich gcomhraí a fuair sé ann, péire ar chlé, ceithre cinn ar dheis, agus ceithre cinn gan cláracha i lár baill ar an urlár. I gceann amháin acusin, adeir sé, "tá corp mná uaisle a tugadh anseo timpeall na bliana 1790." Níor airigh sé, is dócha, an scéal gur bhean rialta í nó go raibh sí in ainm is a bheith 111 bliain d'aois. Ach luann sé an gnáth-thuairim go bhfuil na coirp seo "roinnt chéadta bliain d'aois agus go ndeireann daoine gur Crosáidí an fear a bhfuil a chosa os cionn a chéile aige sa gcomhra is giorra don bhalla." Caitheann Vicars uisce fuar ar an smaoineamh sin :

"Is follas gur dícheíllí an bharúil é," adeir sé, "nuair a fhéachaimid ar na comhraí, óir tá fáth againn lena cheapadh gurb iad seo na comhraí bunaidh inar cuireadh na coirp an chéad uair. Is ionann cuma dhóibh agus do chomhraí an lae inniu* . . . Tá a fhios ag an saol gur séideadh in aer fadó an teoiric úd faoi chosa na gCrosáidí a bheith os cionn a chéile. Níl mórán le duine a threorú le buille faoi thuairim a chaitheamh ar aois na gcomhraí i dTeampall N. Michen ach cheapfainn nach bhfuil aon chuid ann de dháta níos luaithe ná deireadh

*B'aisteach liom an ráiteas sin ag Vicars. B'é mo bharúil féin nach raibh ag comhraí ach saol réasúnta gearr sna luscaí—abair triocha nó dachad bliain. Bhí sé bun os cionn lenar dhúirt Binns agus an Madánach faoi chomhraí na Síoras—féach caibidil 18 agus 21. Ach fiú dá dtugtaí seachtóchúig bliain de shaol dhóibh bhainfeadh na marbháin go léir leis an 19ú aois agus ba doiligh liom sin a chreidiúint.

> na 17ú aoise má táid chomh sean sin. Dúirt an Cléireach liom go bhfaca sé roinnt bhlian ó shoin in uaimh eile " E. Rook, 1690 " marcálta le tairní ar chlár comhra pháiste ach ó bhí glas na huaimhe seo as ordú níor fhéadamar dul isteach ann. Dhearbhaigh duine eile fírinne an ráitis sin ó shoin, ach ní bhfaighfear amach go brách ciacu léigh na daoine a thug an t-eolas dom 1690 in ionad 1790 mar thit an chomhra sin as a chéile ó shoin."

Tá cúpla pointe eile ag Vicars a mhéadaíos lenár n-eolas. Ar an gcéad dul síos, gurbh éigean na huamhna a ghlanadh amach ó am go ham, bhí a leithéid sin de chosair cró i gcuid acu. Chonaic sé féin uamhna, a bhfuil ord agus eagar orthu faoi láthair, a bhí thar a bheith uafásach in 1888, an chaoi a raibh coirp agus géaga corp caite anonn is anall treilis beilis iontu. Thagair sé, ina cheann sin, do chomhra a tógadh as créafóig na reilige taobh amuigh agus don athrú a rinne sé ar dhath na gcomhraí ní hamháin san uaimh inar leagadh é ach san uaimh ar a haghaidh sin anonn.

Ní raibh aon ghaisce le Vicars mar árseolaí in ainneoin an F.S.A. i ndiaidh a ainme, agus tá mé cinnte gur bheag a síleadh dá léacht ag Leamington. D'fhéadfaí go leor locht fháil air, ach ní luafaidh mé ach dhá cheann acu. Shéan sé irisí an teampaill féin sa gcaoi go bhfuil sé buailte isteach im aigne nach raibh a fhios aige tada fúthu nó iad a bheith ann, b'fhéidir. Féach aois an pháiste sin " E. Rook " mar shampla : b'shin fadhb a fhuasclódh Cláracha na nAdhlactha dhó. Agus mura ndéanfadh, d'fhéadfadh sé toradh a chuardaigh sna cláracha a bhreacadh síos mura mbeadh le hinseacht aige ach nár aimsigh sé blas. Bhreathnaíos féin ins na hirisí sin faoi 1690 ach ní raibh tada dá bharr agam. An rud ba ghiorra do " E. Rook " a chonaiceas b'é " Elizabeth, dau. of Andrew Rock, glasier and Alice his wife," ach sa reilig ní hionann agus na luscaí a cuireadh í sin agus ar an 2 Eanar, 1680.

An dara locht a fhaighim ar Vicars isé nár thug sé dáta cruinn d'aiste an cheimiceora. Deireann sé gur scríobhadh é " some 60 years ago " (.i. roimh 1888) ach is léir ó Wright's *Historical Guide to the City of Dublin* (1821) go raibh an aiste le fáil roimhe sin. Ach ná beir leat nach bhfuil maith ar bith i léacht Vicars agus nach raibh áthas orm teacht air. Go deimhin, tá sé ar cheann de na cáipéisí is fearr dá bhfuaireas. Bheadh sé luachmhar mura mbeadh ann ach an fótógraf úd a dheimhníos go bhfuil na ceithre momaigh gan athrú ar a suíomh ó 1888. Is fiú cuid mhaith freisin a ndeireann sé faoin bhfad aimsire a bhfuil na coirp agus go mórmhór " an bhean uasal " ins na luscaí.

18.

I gcaitheamh an dá bhliain déag nó mar sin a raibh an obair seo ar siúl agam do chuardaíos na céadta leabhar agus tréimhseachán le súil go bhfaighinn eolas éigin ar na luscaí iontu. Cés moite de na tagairtí ag an Madánach agus ag an gCurraoineach agus de léacht Vicars agus an dá thuarascáil ón gceimiceoir anaithnid agus ó Sir Charles Cameron dá dtagrann Vicars ní bhfuaireas ach ocht dtagairtí ar fad nár fhéadas a scaoileadh tharm, agus tugaim liosta díobh i mo dhiaidh anseo maille le dátaí a bhfoilsithe. Bhí tagairtí fánacha eile ann, ar ndó, i dtreoirleabhra agus a leithéidí, nárbh fhiú bacadh leo.

1821 C. N. Wright: *Historical Guide to the City of Dublin* (lgh. 131-135).

1832 *Dublin Penny Journal:* Litir ó Terence O'Toole (Caesar Otway) (lgh. 69-71).

1834 *Dublin Penny Journal:* Aiste (Im. 2, lgh. 209-210)

1837 Jonathan Binns: *The Miseries and Beauties of Ireland* (lgh. 190-192).

1842 Mr. and Mrs. S. C. Hall: *Ireland: its Scenery, Character, etc.* (Im. 2, lgh. 311-313).

1857 *Irish Literary Gazette:* Aiste (Im. 1, Uimh. 3, lch. 42).

1891 Rev. Robert Walsh, D.D.: *Notes to a Sermon preached in St. Michan's* (lgh. 12-14).

1907 (1912) D. A. Chart, Litt. D.: *Story of Dublin* (lch. 283).

In ainneoin mo dhíchill—agus chuardaíos dóigh agus andóigh—níor éirigh liom aiste an cheimiceora d'aimsiú ná dáta a scríofa. Caithfimid déanamh dá uireasa mar sin agus a bheith sásta leis na sleachta as an aiste atá ar fáil i scríbhinní eile, agus féadfaimid teacht ar an dáta trí chomparáid a dhéanamh idir tagairtí áirithe. Is é an chéad rud a thaispeáin na tagairtí dhom go bhfuil an chuid is sine agus is tábhachtaí díobh—an chéad cheithre cinn a bheirim sa liosta sin thuas—bunaithe go díreach nó go neamhdhíreach ar aiste an cheimiceora úd, pérbh é féin.

Ins an tagairt is sine agus is cruinne agus is iontaofa dhíobh—an *Historical Guide to the City of Dublin* le C. N. Wright (1821)—tugtar sliocht as aiste an cheimiceora agus seo é an roinn de a thráchtas ar na marbháin:

> "In one vault are shown the remains of a nun who died at the advanced age of 111 . . . the body has now been 30 years in this mansion of death: and although there is scarcely a remnant of the coffin, the body is

as completely preserved as if it had been embalmed with the exception of the hair. In the same vault are to be seen the bodies of two Roman Catholic clergymen, which have been 50 years deposited here, even more perfect than the nun."

Aon bhliain déag ina dhiaidh sin do foilsíodh sa *Dublin Penny Journal* aiste Terence O'Toole, ainm cleite an Rev. Caesar Otway, fear a bhfuil eolas maith ag lucht béaloideasa na hÉireann air mar gheall ar *Sketches in Ireland* (1827), *A Tour in Connaught* (1839) agus *Sketches in Erris and Tyrawly* (1841) a scríobh. Luann seisean "the body of a *man* who died in 1733 at the advanced age of 111; and also that of a Jesuit." Tá dhá rud anseo: déanann Otway fear den bhean rialta—gníomh éachtach, dar m'anam; agus tugann sé dáta a báis.

Dhá bhliain níos deireannaí fós bhí aiste eile sa *Dublin Penny Journal* gan ainm aon údair leis ach ní raibh ann ach focla an tsleachta sin ón gceimiceoir. Tá an marbhán ina bean rialta arís!

In 1837, is é sin i gceann trí bliana eile, do foilsíodh *The Miseries and Beauties of Ireland* le Jonathan Binns agus tugann an t-údar cuntas ann ar chuairt a thug sé féin ar an teampall tamall roimhe sin. Is inspéise a ndeireann sé faoin staid ina bhfuair sé na marbháin. Deireann sé linn freisin go rabhthas tar éis coirp na Síoras d'aistriú an lá sul a dtug sé a chuairt ó lusca amháin go dtí lusca eile:

"There they rested, one upon the other, their heads lying near them. The jail shells in which they had lain, had crumbled to dust."

Nuair a dhéanas Binns trácht ar na daoine a bhfuil suim ar leith againne iontu is follas go dtarraingeann sé an t-eolas, faoi mar adúras cheana, go díreach ó chuntas an cheimiceora. Is aisteach an scéal é, ámh, go ndéanann sé féin, nó a chlódóir, an dearmad céanna a rinne Otway. Athraíonn sé an bhean rialta ina fear :

> " In one vault are shown the remains of a *man* who died at the advanced age of 111. This corpse has been thirty years in its present silent abode [" mansion of death " ag an gceimiceoir] and although there is scarcely a remnant of the coffin, the body is as completely preserved, with the exception of the hair, as if it had been embalmed. In the same vault are to be seen the bodies of two Roman Catholic clergymen which have lain fifty years there, even more perfect."

Ní dóigh liom go bhfaca mé ariamh aon rud mar an dearmad dúbalta seo. Rud an-aisteach é, do mheasas. Rud chomh haisteach sin gur thosnaíos ag fiafraí díom féin arbh fhéidir go raibh aimhreas ar Otway agus Binns faoi aois na mná rialta agus gur aistríodar an scéal faoina haois móir go dtí ceann eile de na marbháin.

Agus céard faoi dháta a báis ? 1781 a thugas údar an aiste san *Irish Literary Gazette* dhúinn. 1783 atá ag Caesar Otway. Bhí ráiteas an cheimiceora ar eolas acusin araon, ní foláir, sin nó bhí an t-údar céanna acu faoi bheith cruinn faoin dáta agus bhí ag an gceimiceoir. Do réir an cheimiceora bhí " an corp triocha bliain in áras seo an bháis " an t-am a raibh sé ag scríobh agus ba am eicínt é sin roimh 1821 óir bhí Wright in ann tarraing as a aiste. Más inchreidte ceachtar den dá dháta, 1781 nó 1783, scríobh an ceimiceoir a pháipéar in 1811 nó 1813, sé sin ocht nó deich mbliana roimh an gcéad cheann de na tagairtí ar mo liosta. Ach an féidir glacadh le 1781 nó 1783 mar dháta bhás na mná rialta ? Bhí eagla orm é dhéanamh nó go bhfaighinn caoi ar dhearcadh ar chláracha na n-adhlactha sa teampall. Thug mé chun cruinnis nár dhúirt an ceimiceoir cé an uair ar cailleadh í. Níor dhuirt sé, féach, ach go raibh an corp triocha bliain "in áras seo an bháis." Arbh fhéidir gur tagairt é seo freisin, amhail mar bhí ag an gCurraoineach, dá *dara* hadhlacadh ? Agus do réir an chiall a bhaineamar cheana féin as leabhar an Churraoinigh bhásaigh an bhean rialta i 1722.

19.

Fuaireamar an dáta 1781 san *Irish Literary Gazette*. Tarraingeann scríbhneoir an aiste—agus dealraíonn sé bheith staidéartha go leor—an chéad chuid dá ráiteas ó údar an *Historical Guide to the City of Dublin*, "There is a nun here who died at the advanced age of 111 (says the Rev. C. N. Wright) who is in a very perfect state . . ." agus tugann sé eolas ansin dúinn a bhailigh sé féin, ní foláir. "Her frilled cap is partly preserved," adeir sé "and some white satin which tied her feet. She is said to have died in 1781. There we were also shown two Roman Catholic priests, even better preserved, and lying here about eighty years." Tráchtann sé ansin ar chorpáin mná agus páiste. Téann sé ar aghaidh : "Besides these there is a Jesuit who died in 1783, a man who committed murder, and the two ill-fated Sheares, who were beheaded for high treason and were thrown in here, and shortly after decayed." Is léir domsa ach go háirithe nach in aon uaimh amháin a bhí an ceathrar seo ach i dhá nó b'fhéidir i dtrí huamhna agus luscaí deifriúla.

Is é an ní is suimiúla i dtaoibh an chuntais ar na luscaí

atá i leabhar Mr. and Mrs. S. C. Hall gur foilsíodh é in 1842, an bhliain inar eisíodh an chéad eagrán de *Bheathaí an Mhadánaigh*, agus tá cosúlacht ann go raibh Mrs. Hall sna luscaí in 1840, beagnach dhá bhliain sul a ndeachaigh an Madánach ar ais ann an dara uair. Deir Mrs. Hall gurbh é an lusca ab fhearr ó thaoibh neamhlobhadh na gcorp " an ceann beag faoi uille dheas na croslainne," is é sin an *Tighe Vault*, dar liom. Tugann sí comharthaí sóirt cheann amháin de na coirp dhúinn—fear beag ab ea é seo go raibh dhá chéad bliain caite aige sa lusca agus é " still quite perfect " más fíor di. Dob é seo, adúirt sí, corp N. Michen féin, rud do thug ar Frances Gerard, údar *Picturesque Dublin—Old and New* (Londain, 1898) a rá :

> " This story must have been evolved out of Mrs. Hall's imagination, no other visitor having seen St. Michan's corpse, which for the rest, would have dated back nearer to a thousand than two hundred years."

Níl sé deacair samplaí eile a sholáthar den " samhlaíocht " sin. Bheirim cúpla ceann anseo agus chífear uathu araon chomh gasta agus is féidir an dearg-bhréag agus an rud a d'fhéadfadh a bheith fíor a fhí le chéile. On *Dublin Guide* a d'eisigh George Irwin, F.T.C.D., in 1853 an chéad shampla.

> " In 1688," ar seisean, " the soldiers of James, when searching for arms and ammunition, invaded the vaults, and strewed about the remains of the dead. But a greater destruction was produced among them since by a knave of a sexton, who many years ago carried on a systematic plunder, uncoffining the dead to make sale of the leaden cerements in which they were entombed, casting their remains into a promis-

cuous heap of 'dried anatomies.' The damp night airs of winter, the time chosen to escape detection, introduced the elements of destruction to the oft-opened vaults, which thus were in the direct way of losing their long acquired reputation. One rather strange incident resulted from these visits in the case of a lady deposited in the western vault, who, to the dismay of the affrighted sexton, revived while he was in the act of removing a ring from one of her fingers. The terrified sexton fled to his dwelling beside the gate, leaving his lantern behind him, which the supposed corpse taking up, left the vault, and in her grave-clothes contrived to reach her home, where she survived several years, and was afterwards the mother of either two or three children."

Tá an scéal sin ar eolas ag a lán daoine ar an gcoigríoch de bharr go n-athinstear é i leabhar sin H. V. Morton *In Search of Ireland*.

Bhí an t-ádh is an t-adhantar ar an mnaoi sin le hais an duine a dtráchtann Caesar Otway air san aiste sin aige sa *Dublin Penny Journal* :

"There [in uaimh na momach] lay a large man, whose head was on one side, either so placed in order to fit into his coffin, or else (the idea is fearful) he had come to life in his narrow cell, and after horrible contortion, had died for want of air."

Ag caint faoi sin do Vicars :

"I need hardly remark," adeir sé, "that the foregoing account is rather coloured. The author's imagination seems to have led him astray when he

> speaks of the man who he thinks was buried alive on the ground that his head is slightly inclined to one side. This is evidently the body depicted so clearly in the photograph."

Agus is é an corp atá i gceist an chéad cheann i lár an phictiúra, an corp ar dheis na mná rialta.

Ach má bhí cuid de na cuairteoirí liteartha tugtha don "samhlaíocht," céard a thiúrfas muid ar ráitis ar nós mar thug an tUrramach Robert Walsh, D.D., Reachtaire Dhomhnach Broc, uaidh sna nótaí a d'fhoilsigh sé in éindigh le seanmóin a thug sé an 10ú Bealtaine, 1891, i dTeampall N. Michen le túr an teampaill a dheasú. Ní bheifeá ag súil le románsaíocht óna leithéid sin de dhuine ar a leithéid sin d'ócáid, ach fan go bhfeicfidh tú céard a scríobh sé. Tosnaíonn nóta C mar seo : "Is maith is fiú luscaí iomráiteacha Theampall N. Michen cuairt a thabhairt orthu. Níl aon deimhniú ar dháta a dtógála le fáil ; is dóigh go bhfuilid chomh sean leis an teampall túsúil féin." Agus ansin ag trácht ar uaimh na momach, "an uaimh 12 troigh cearnógach" mar thugas sé uirthi, deir sé go bhfuil ins an uaimh seo "it is believed . . . all that is mortal of O'Connor Dhu, an Irish King of the race of Roderic O'Connor !" Tá sin chomh cosúil le ceapadóireacht nach fiú am a chaitheamh dá scrúdú. Ach níor fhéad mé a thagairt don mhnaoi rialta a scaoileadh tharm chomh réidh sin. Ní thiúrfainn aird ar bith ar an gcéad chuid dhi—" . . . the body of a nun laid there 300 years ago," adeir sé, "is still in a state of almost complete preservation." Chualamar sin cheana ar mhodh nó ar mhodh eile : níl blas nuaíochta ann. Ach leanann Dr. Walsh air go scaoileann sé ainm na mná rialta chugainn agus, cogar, ní Crookshank é. "She is supposed to have been a Miss Mackintosh . . ." Ar tuilleadh nuacheapadóireachta é seo ?

Miss Mackintosh, obiit 1590, dar féasóig m'athar ! Agus b'éigean duit ansin, déarfaidh an léitheoir, dul siar arís go dtí tosach an aistir agus áit ar bith a lorgaís Miss Crookshank cheana Miss Mackintosh a lorg anois ina hionad. Leis an bhfírinne a dhéanamh, ámh, níor bhain an tagairt seo do Miss Mackintosh na cosa dhíom mar ba dhóigh leat, bíodh gurbh í nach mór an tagairt dheiridh don mhnaoi rialta a d'aimsíos. Níor bhain mar, faoi mar dúras ó chianaibhín, bhíos gan mórán measa ar thuairimí Dr. Walsh agus ar an dara dul síos bhíos tar éis an t-ainm a aireachtaint cheana. Seo mar do tharla : ocht mbliana roimhe sin, is é sin i 1943, do chuas chun cainte le Daniel Hall, an cléireach a bhí ar an teampall ó 1913 go dtí 1936. Mheasas go mb'fhéidir go mbeadh seoraí aige nach mbeadh aon eolas ag an nglúin seo orthu. In a theach bheag féin ar cheann de na bóithre nua sin i gCabrach a casadh liom é, fear ard téagartha scafánta in ainneoin é bheith 85 bliana d'aois. Bhí sé an-deas den tsaol liom. D'fhreagair sé mo cheisteanna go pras agus go soiléir, bíodh is go ndúirt sé liom go raibh an donas ar a chuimhne, i gcás go rabhas ábalta meamram beag ina fhocla féin a chur le chéile gan stróbh ar bith ar shroichint an bhaile dhom. Tá an meamram sin romham agus mé dá scríobh seo agus bheirim cúpla sliocht nó trí as.

> " Pé eolas a bhí aige ar an teampall agus na luscaí dúirt Mr. Hall liom gur fhoghlaim sé é as leabhra beaga agus nuachtáin a cheannaigh sé féin ar dhul isteach sa bpost. Astu sin rinne sé scéal beag deas. Níor fhoghlaim sé faic ón gcléireach a bhí ann roimhe

ach b'é féin a mhúin don chléireach atá inniu ann gach dá bhfuil d'eolas aige . . . [Fan go léifidh an cléireach nua an méid sin !] Ní fhaca sé athrú ar bith ar na coirp [ag caint a bhí sé ar na ceithre marbháin a taispeántar le chéile] le linn na 24 bliana a bhí sé ann . . . Chuala sé go raibh ceann de na ceithre coirp in ainm is a bheith ina mnaoi rialta agus ceann eile in ainm a bheith ina Chrosáidí. Ní raibh eolas ar bith ar an mbeirt eile aige. Bhí na ceithre coirp ins an áit chéanna agus ins an uaimh chéanna fhad is bhí sé féin ann ; agus ins na seanchomhraí briste céanna. D'fhiafraíos de arbh é a bharúil gurbh iad seo na coirp ba shine da raibh ins na luscaí. Dúirt sé nárbh é. Shíl sé go raibh na coirp ins an uaimh taobh leis na Liathdromaigh níos sine fós [sé sin, in uaimh i Lusca a Dó mar a bhfuil uaimh na Síoras ach ar an taobh eile den phasáiste]." Agus an focal deiridh adúirt sé liom—" Is éard a chuala mé a bhí ar an mnaoi rialta Mackintosh."

Mar sin is dá bhrí sin, bhí Mackintosh ar chúl m'intinne le hocht de na bliana go raibh mé ag gabháil don tóraíocht seo agus am ar bith a raibh mé ag scrúdú liostaí d'ainm-neacha bhí mé ag breathnú amach dó, gidh nár chreideas mórán ann, chomh maith le Crookshank. Is dóigh gur ó phaimpléid Dr. Walsh a fuair an seanchléireach an sloinn-eadh ; ach cá bhfuair Dr. Walsh é ? San áit chéanna ina bhfuair sé O'Connor Dhu i mo thuairim, ina íomháíocht féin.

Níor thugas mórán aird, mar sin, ar an sloinneadh Mackintosh nuair a chonaiceas ag Dr. Walsh é. Ach bhí suim agam sa ráiteas leath-aineolach a lean é sa Nóta C sin a cheangail sé dá sheanmóin. " She is supposed to have been a Miss Mackintosh," adúirt sé, " of an order of French nuns, who lived at George's Hill in pre-Reformation times." Ní raibh, dar liom, sa tagairt don " order of French nuns " ach gnáthoideas an teampaill a bhí i gceist ag an Dr. Ó Rónáin nuair adúirt sé ins an aiste úd san *Irish Rosary* i 1904 go raibh sé ráite gur corp mná rialta Benedictíneach é seo a bhain leis an gclochar i Channel Row. B'ionann " order of French nuns," do tuigeadh dom, agus " Benedictínigh ón Mór-Roinn." Agus bhíos sásta, faoi mar a thaispeánaim i gcaibideal 6 den leabhar seo, nach raibh dealramh ar bith leis an tagairt do " pre-Reformation times." Maidir le George's Hill, bhíos cinnte dearfa nach raibh clochar ar bith ansin roimh deireadh na 18ú aoise ach ó luaigh Dr. Walsh an áit cheapas nach ndéanfadh sé dochar ar bith a fhiafraí de Shiúracha na Toirbhirte an raibh aon traidisiún acu faoi Theampall N. Michen. Ar ndó, bhí leabhra luachmhara an Dra. Uí Rónáin agus an Athar Burke-Savage sẹanléite agam agus bhí mé sásta dá mbarr go raibh a fhios agam cé an áit a raibh siúracha an chlochair sin uilig curtha agus na fir bheannaithe ar nós Father Mulcaile a threoraigh iad agus a chuidigh leo ins na laethanta tosaigh. Ach arbh fhéidir, dá ainneoin sin, go raibh ceangal eicínt nárbh fheasach dom idir an gclochar ar Chnoc Sheoirse agus Teampall N. Michen ? D'fheicfimis linn.

Ag an bpointe seo go díreach do luigh mo shúil ar ráiteas a bhí dearmadtha agam, ráiteas i litir a scríobh Eibhlín Bean Uí Choincheanainn chugam agus mé i dtús mo shaothair. Níl a fhios agam beirthe beo nó baiste cé an chaoi ar imigh a ndúirt Bean Uí Choincheanainn liom chomh glan sin amach as mo chuimhne murarbh é go raibh an oiread sin gnéithe den fhiosrúchán dá nochtadh romham go tiubh te nár fhéadas iad go léir a choinneáil im aigne i bhfochair a chéile. Ar aon chuma, ba ghné den fhadhb é seo go dtiocfainn luath nó mall go dtí é. Seo é scríobh Bean Uí Choincheanainn chugam :

> " Tamall ó shoin agus mé ag scríobh faoi chlochair i mBaile Átha Cliath le linn ré na nDlithe Pianúla do rinne an Mháthair-Uachtarán de Chlochar na Toirbhirte ar Chnoc Sheoirse cóip dhom de sheoraí áirithe a bhí in annála an tí stairiúil sin i dtaoibh taise de mhnaoi rialta do fuarthas (is dóigh liom) i dTeampall N. Michen. Ba le muintir Dhubhghaill é, chomh fada agus is cuimhin liom ; bhí cailín den bhunadh sin ina Máthair-Uachtarán ar Chnoc Sheoirse go gearr i ndiaidh é bhunú ag Miss Mulally agus Father Mulcaile. Níor mhiste tuairisc faoi a chur ar Chnoc Sheoirse. Cuireadh roinnt leigheasanna ina leith."

Thógas mo pheann i mo láimh agus do scríobh chuig Cnoc Sheoirse ag iarraidh caoi agallmha agus cead féachaint ar an taise. Céard a thiocfadh as seo ? A lámh nó ceann dá cosa a thabhairt ar ais do Miss Crookshank ?

Fuair mé mé féin don cheathrú uair taobh istigh de dheich lá i gclochar. Ach bhí suí gearr agam i gclochar seo Shiúracha na Toirbhirte ar Chnoc Sheoirse. Thug an Mháthair-Uachtarán an taise chugam gan mhoill agus sul ar labhair sí smid chonaiceas nárbh é an rud a raibh mé ag tnúth leis a bhí aici. Séard a thug sí chugam árthach tanaí comhchruinn déanta d'airgead geal agus istigh ann bhí méar le Father Thomas Tasborough de Chumann Íosa. Sasanach ab ea é seo, dúirt siad liom, a d'oibrigh tráth i bparáiste N. Michen, agus is cosúil gur ann freisin a cailleadh é i 1726 nó 1727. Bhí cáil naofachta ar Father Tasborough agus go dtí le gairid cuirtí fios ar an méir le hothair a bheannú léi. Sul ar fhágas an clochar do tugadh síos go híochtar an tí mé go bhfeicfinn ionad adhlactha Father Mulcaile, Teresa Mulally agus na siúracha go léir a d'éag ó bunaíodh an clochar go dtí an bhliain 1913.

B'shin a raibh de bharr Chnoc Sheoirse agam. Mar sin féin, ní rabhas gan dóchas ag fágáil an chlochair dom. Bhí 'sé ráite gur shagairt, agus baill de Chumann Íosa, b'fhéidir, beirt de chompánaigh sin Miss Crookshank in uaimh na momach i dTeampall N. Michen. Dá bhfaighinn méar in easnamh ar dhuine acu, nach gcruthódh sin go raibh Father Tasborough aimsithe agam ? Rachainn anonn go dtí an teampall an tráthnóna sin féin. Chuas, agus scrúdaíos chomh grinn agus d'fhéadas chuile lámh dár fhéadas a fheiceáil san uaimh. Ach chlis orm duth is dath a chruthú gur le haon cheann acu an mhéar. D'imíos liom abhaile go díomách. An dtógfá orm é ?

20.

Timpeall an ama seo d'fhéachas arís ar na tagairtí scríofa do na luscaí féachaint céard a bhí le rá acu faoi staid chorp na mná rialta. Bhain an toradh geit asam. An gcreidfeá, ón gceimiceoir anaithnid úd anall go dtí Canon Young, a d'ullmhaigh a phaimpléid breis agus céad bliain dá éis, níor luadh oiread is aon uair amháin go raibh lámh agus dhá chois na mná rialta ar iarraidh. A mhalairt ar fad de phort a bhí acu. " The body is so completely preserved as if it had been embalmed, with the exception of the hair " adúirt an ceimiceoir. Chuaigh Canon Young níos sia fós : dar leis sin bhí an bhean rialta " wonderfully preserved " agus míníonn sé cé an chaoi. Ach fiú focal níl ag éinne acu faoin láimh agus na cosa atá in easnamh ón gcorp a taispeántar dúinne inniu. Le ceart a thabhairt don Mhadánach agus dá chompánach, Powell, labhradar sin níos discréidí ach is follas go bhfacadar na géaga go hiomlán ar an gcorp nó d'inseoidís dhúinn. Dúirt an Madánach go raibh na " remains " roimh 1832 " in the same perfect state in which they have been long known to exist. But the exposure to the air, consequent to the removal of her remains . . . had proved injurious to them . . . " Agus bhí Powell níos cruinne fós : " the body is partly whole," ar seisean, " particularly from her thighs down, and from her head to shoulders." Tá sin fíor inniu—tá an corp " partly whole " fós ach déarfainn go bhfuil meath mór ó aimsir Powell air, go mórmhór ó na ceathrúnaí anuas, gan an lámh is na cosa áireamh chor ar bith. Labhair mé faoi seo le J. W. Hammond, fear a bhfuil bunaois mhaith agus an-lear eolais aige ar stair agus béaloideas Bhaile Átha Cliath. Timpeall ceithre fichid bliain ó shoin, adúirt sé liom, do sciob roinnt ógánach a bhí ag foghlaim le bheith ina ndochtúirí na hailt leo. Óna athair a bhí an-eolgaiseach faoi na cúrsaí seo go léir a chuala sé an méid sin.

Feictear dhom gur gá dhá rud a rá mar gheall ar an ngiota béaloideasa seo. Pé brí caoi ar chaill an bhean rialta a cosa is a lámh is follas gur chaill sí iad nuair nach raibh suim iontu mar thaisí " naoimh." Bhí dearmad déanta faoin am sin le fada uirthi agus ar na " míorúiltí " a d'oibrigh sí tráth. Ina dhiaidh sin, ba chuma ar bhealach cé thóg iad, má thóg duine ar bith iad—tá seans gur thit siad den chorp nó gur baineadh de thaisme iad le linn do mhuintir an teampaill a bheith dá bhogadh ó lusca go lusca. Ní móide gur ghá nó gurbh fhiú do mhac léinn corpeolais na hailt d'fhuadach timpeall 1860. Na cnámha uilig a bheadh ag teastáil óna leithéidí san am sin le haghaidh staidéar a dhéanamh bheidís le fáil gan stróbh ar bith ins na hospidéil. Roimh an *Anatomy Act* (1832) tuigtear dom go raibh a mhalairt de scéal ann. Le corpáin d'fháil, an uair úd, bhíodh ar na mic léinn leighis na reiligí a réabadh de shiúl oíche. Is éard a dhéanaidís de ghnáth dul i gcomhar le cuid de ruifínigh an bhaile mhóir agus le feighlithe na reiligí agus i dteannta a chéile d'osclaídís na huaigheanna nua-dhéanta, d'ardaídís na comhraí aníos astu, agus thógaidís na coirp bhochta amach. Amantaí chuireadh na mic léinn culaith éadaigh ar an gcorp agus do tharraingidís leo tríd na sráideacha é, faoi is dá mba fear ar meisce é. Bhí airgead chomh mór sin le déanamh as corpáin san am agus oiread sin glaoch orthu go ndeachaigh mórán daoine i mBaile Átha Cliath isteach sa ngnó agus, bíodh gur deacair é chreidiúint, bhídís dá ndíol chomh fada ó bhaile le Béal Feirste agus Albain. I " Bully's Acre " i gCill Maighnean is mó a gheibhidís na coirp—bhí sé i bhfoisceacht leithmhíle d'ospidéal—na mairbh a cuirtí ansin bhíodh a ndaoine muinteartha róbhocht le fir a íoc leis na huaigheanna a chaomhaint san oíche. Go hiondúil ní cuirtí isteach ná amach ar na " haiséirígh " mar gheall ar an gcomhar a bhí eatarthu féin agus feighlí na reilige ach go bhfóireadh Mac Dé ar dhuine ar bith díobh a dtiocfaí air ag oscailt uaighe nó ag breith corpáin leis tríd an gcathair sa dorchadas. Bás nó bascadh a bhí i ndán dó.

Mar gheall ar an obair ghruama seo ar fad a bheith ar siúl i reiligí Bhaile Átha Cliath, teaghlach ar bith a d'fhéadfadh an t-airgead a spáráil tá mé cheapadh go mbeadh fonn mór orthu a mairbh a adhlacadh i dtuambaí nó i luscaí teampaill. Bheidís sábháilte ansin. Bhí Teampall N. Michen sa gceantar a raibh na sladairí ar a mbionda ann ach níor léigh mé in áit ar bith gur fuadaíodh corp ar bith as reilig an teampaill sin agus bheadh sé rídheacair ar fad, im thuairim, baint leis na coirp a bheadh thíos sna luscaí, fiú leis na marbháin a bhí agus atá ar taispeáint ann i gcomhraí gan clár. Ach ní hionann sin is a rá nach ngoidtí cuid de choirp. Féach a ndeireann D. A. Chart, cuir i gcás. Agus féach an eachtra do tharla do cheann Sheáin Síoras.

Chomh fada lem eolas ba staraí agus geilleagróir cuíosach iontaofa Chart ; ach an tagairt ghearr atá aige ina leabhar bheag ar stair Bhaile Átha Cliath níl éinní ró-iontach ann. Tráchtann sé ar dtús, ar nós an chuid eile de na scríbhneoirí, ar an gcumhacht aduain atá i gcré an teampaill, go " stopann sí meath na gcorp a cuirtear faoina cúram." Tá ceannaighthe féin na gcorp so-aithinte, adeir sé. Agus ansin tugann sé aithne dhúinn ar an mnaoi rialta :

> " A female figure called ' The Nun,' and said to be three hundred years old, has just the round, well-shaped head and delicate features that one associates with Chaucer's Prioress."

Ach is i bpáiste atá an tsuim is mó ag Chart. " Bhíodh ann," adeir sé,

> " corpán truamhéileach pháiste go mbíodh ribíní bána na sochraide ag sileadh go fóill óna riostaí ramhra. Bhí an dáta 1679 ar an gcomhra ; mar sin féin bhí méaracha coise agus lámha an pháiste le feiceáil go gléineach. Mar gheall ar gur goideadh lámh an pháiste seo, ní cheadaíonn an mhuintir dar dhíobh é

é thaispeáint níos mó."

Dála an scéil, arbh ionann an páiste seo a cailleadh i 1679, más fíor do Chart, agus an E. Rook a luaigh Vicars ina thuarascáil ach nach raibh seisean cinnte ciacu i 1690 nó i 1790 a cailleadh é?

21.

Bhí a fhios agam go gcaithfinn teacht timpeall go dtí ceann Sheáin Síoras luath nó mall. I bhfochair na Síoras a bhí Miss Crookshank nuair a luaigh an Madánach ar dtús í agus ar an ábhar sin pé ní a léas nó a d'airíos i dtaoibh na Síoras ar feadh na mbliana bhí suim speisialta agam ann le hionchas go gcaithfeadh sé solas ar mhistéir na mná rialta agus na momach eile.

An ní ab inspéise a chualas ariamh i dtaoibh cheann Sheáin Síoras—níl a fhios agam an fíor bréag é—gur thug Seán ar bhearrbóir an oíche roimh an gcrochadh a chuid gruaige a bhearradh go mion i dtreo is nach bhféadfadh an crochaire breith uirthi agus an ceann d'ardú, do réir nóis, le go bhfeicfeadh an slua cad é an íde a bhí i ndán do lucht fill. Dícheannadh a dheartháir, Énrí, ceart go leor, ach gidh gur bhuail an crochaire muineál Sheáin leis an tua níor bhac sé (adeirtear) leis an gcloigeann a bhaint den cholainn. Cuireadh an bheirt deartháir ina gcomhraí saora neamhlíofa príosúin sa riocht sin agus tráthnóna nuair a bhí an slua ollmhór glanta leo agus na gnáthchoinníollacha comhlíonta thug Brent Neville, deartháir bhean Énrí, an dá chomhra leis go dtí Teampall N. Michen. Bhí ceart adhlactha sa reilig ansin ag éinne a gheobhadh bás i Newgate. Ach ní sa reilig a cuireadh an bheirt Shíoras ach ins na luscaí. Péacu d'aontaigh sé leo nó nár aontaigh is dóigh gur mheas Neville go raibh adhlacadh den tsórt sin ag dul do na deartháireacha ó thaoibh gradaim.

Do réir an cheimiceora anaithnid, agus é ag scríobh in 1811 nó in 1813, "ní dearnadh ach na coirp a chaitheamh taobh istigh de dhoras na luscaí agus ó bhíodar ansiúd faoi thionchair an aeir ón taoibh amuigh lobhadar ar fad i gceann tamaill bhig." Chonaic an Curraoineach iad isteach is amach le deich mbliana níos deireannaí. Is léir go raibh droch-chuma orthu. Ní aithneodh sé iad mura mbeadh na cinn. Bhí ceann Énrí ina luí le taoibh a dhearthár ; ní raibh ceann Sheáin bainte ar fad de ag buille an chrochaire : bhí ligament amháin den mhuineál dá dhlúthú go fóill leis an gcorp. Cúig nó sé bliana déag ina dhiaidh sin (1837) bhí Jonathan Binns ar a chuairt sa teampall. An lá go díreach a raibh sé ann do haistríodh na coirp ón lusca a rabhdar cheana ann go dtí lusca eile " agus b'shiod iad iad ar bharr a chéile, a gcinn ina luí in aice leo. Bhí comhraí garbha an phríosúin titithe ina mionrábh." Más fíor na hamannaí a thugas an Madánach chonaic Binns dhá phlaosc ceart go leor ach níor leis na Síoras ach ceann amháin acu.

Bhí an Madánach, mar is eol dúinn, sna luscaí don chéad uair in 1816, tamaillín tar éis an cheimiceora, é féin agus lead óg de Bhlácach a bhí ar scoil leis. Agus nuair a tháinig sé ar ais arís i dtús Eanáir, 1842, bhí an compánach céanna ina theannta. Thug sé an tuairisc chéanna ar na coirp agus a thug an ceimiceoir agus beagnach ins na focla céanna :

> " The coffins even had mouldered away, after the exposure to the external air, on their removal from an adjoining vault."

Tar éis ceann an choirp a scrúdú adúradh ba le Seán Síoras, bhí iontas ar an Madánach a thabhairt faoi deara gur cheann dhuine an-aosta ar fad é. D'iompaigh sé chuig an gCléireach. " Ní hé ceann Sheáin Síoras é seo," ar seisean, agus is é an freagra a thug an Cléireach air nach bhféadfadh gur le duine ar bith eile é.

Ar feadh roinnt laethanta dá éis sin ba é an scéal seo, ní nach ionadh, is mó a bhí ag déanamh tinnis don Mhadánach agus labhair sé faoi le daoine. Caithfidh sé go ndeachaigh an luará thart timpeall na cathrach go raibh an Dochtúir Ó Madáin ag cuardach cheann Sheáin Síoras. Ar chaoi ar bith scríobh fear chuige—beagán laethanta níos deireannaí—agus d'inis dó go cé mar chuaigh sé féin, nuair nach raibh ann ach gasúr, timpeall 20 bliain roimhe sin (.i. timpeall 1822), ag féachaint ar choirp na Síoras. Thug sé buachaill do casadh leis amuigh sa reilig isteach sa lusca leis agus do gheall airgead dó dá n-iompródh sé an ceann leis i ngan fhios. Bhí an ceann ceangailte den chorp le stríopa de integumenta chúl an mhuiníl. Scaoil an buachaill le scin phóca é agus do thug an ceann leis go teach mo dhuine agus choinnigh seisean ar feadh fiche bliain é. Dúirt an fear gur mhinic ab oth leis é thógáil ; agus ó bhí a fhios aige suim a bheith ag an Madánach i gcúrsaí na Síoras bhéarfadh sé an ceann dó dá mba mhian leis é. Thóg an Madánach uaidh é go toiliúil.

Ag deireadh an Eanáir sin do bhí an Madánach agus a chara, Powell, ar ais arís sna luscaí don darna huair an mhí sin—bhí caoi mhaith aige mar sin, caoi níos fearr ná bhí ag scríbhneoirí eile ar mo liosta, ar bhreithniú faoi is thairis. Bhí ceann Sheáin Síoras leis agus dhá shreath de chomhraí luaidhe is darach. Cuireadh a raibh fágtha den bheirt dearthái maille lena dhá gceann isteach ins na comhraí nua agus do leagadh le hais a chéile iad san uaimh.* Ansin luann an Madánach Samuel Rosborough, "a man once of some notoriety in Dublin," agus Miss Crookshank, "semi-canonized nearly a century ago in the minds of thousands of her Catholic fellow-citizens." Bhíodar sin, adúirt sé, san uaimh chéanna leis an mbeirt Shíoras.

Bhí súil ag an Dochtúir Ó Madáin go mairfeadh a chomhraí luaidhe agus darach go deo na ndeor—"so far, I trust," ar seisean, "the possibility is prevented of their remains being disturbed in future" ach monuar, sé an tuairisc a thug Vicars orthu in 1888 go raibh na comhraí darach ag imeacht as go scioptha, ní raibh na cláracha ann níos mó agus bhí píosaí beaga dá ndéanamh de na taobhacha. Agus timpeall an ama chéanna scríobh William F. Wakeman fúthu mar leanas san *Evening Telegraph* :

> "Is mór is oth liom é rá go bhfuil na comhraí a sholáthraigh an Dochtúir Ó Madáin in an-droch-chaoi. Nár chóir rud eicínt a dhéanamh le cinn nua a sholáthar ina n-áit ; agus slacht eicínt a chur ar an uaimh shuaraigh ina bhfuil na coirp ?"

Ar an 4ú lá de Lúnasa, 1943, d'fhiafraíos de Mhac

*Is iontach an chosúlacht atá ag an scéal seo lenar tharla do cheann 'Papa' Haydn, an cumadóir mór ceoil. hAdhlacadh eisean i Wien in 1809. Aon bhliain déag ina dhiaidh sin do thóg a phríomhphátrún, an Prionsa Nioclás Esterhazy, an corp as a uaigh, agus do fuarthas go raibh an plaosc ar iarraidh. Is amhlaidh a d'fhuadaigh *phrenologist* leis é dhá lá tar éis é chur d'fhonn is go bhféadfadh sé teoiric eicínt a bhí aige i dtaoibh an chumadóra a chruthû. Le himeacht aimsire do fuair musaem ceoil i mBerlin seilbh ar an bplaosc agus d'fhan sé ansin go dtí an *Anschluss* nuair do thug Hitler an plaosc ar ais do mhuintir Esterhazy. Ní hionann is an Madánach, bhí súil ag an *bhFuehrer* le brabach as an mbronntanas .i. dea-thoil na nOstrach.

Niocaill, an t-adhlacthóir i Sráid Lombaird, céard a fuair sé nuair a chuaigh sé ag cóiriú uaimhe na Síoras roinnt bhlian roimhe sin ar iarratas Chumann na nUaigheann Náisiúnta. Dúirt sé liom go bhfuair sé na comhraí le hais a chéile ar an taoibh dheis den uaimh agus ar an taoibh chlé roinnt chomhraí éagsúla a bhí ag titim as a chéile. An t-adhmad go léir san uaimh sin bhí an bhail chéanna air ; do thitfeadh sé as a chéile ach go leagfá do lámh air. B'ionann cás dá raibh fágtha de chomhraí uachtaracha adhmaid na Síoras. Bhí na comhraí luaidhe go hiomlán fós ach bhí ceann acu " batrálta " fé mar bheadh rud éigin tar éis titim air. Fuair sé seanphláta brád amháin agus " John " air. Thuig sé gurbh é pláta brád Sheáin Síoras é sin agus do leag sé anuas ar chomhra luaidhe Sheáin Síoras é. É sin agus an chomhra luaidhe eile, do cuireadh taobh istigh de dhá chomhra iad do rinneadh go speisialta don ócáid.

Na baill bheatha ilghnéitheacha a frítheadh ar an taoibh chlé den uaimh do chuir Mac Niocaill isteach sa gcófra mór darach iad atá le feiceáil taobh thiar den ráil ar chúl na huaimhe. Chomh fada lena chuimhne chaithfeadh sé go raibh ó sheisear go hochtar ann ar fad. Bhí cúig nó sé plaosca ann ar a laghad, agus " corrlámha is géaga." Bhí chuile shórt eile imithe ar fad. Ní raibh aon bhua coinneála istigh san uaimh sin, ina thuairim. Mheas sé go raibh an taise ón gcasán amuigh tar éis teacht isteach tríd na clocha. Dúirt Mac Niocaill gur iarr sé ar eolaí an t-adhmad san uaimh a iniúchadh. " Frí darbh ainm lintz a bhí dá chreimeadh."

Tharraing an ráiteas sin tuilleadh ceisteanna anuas. Cé leis na cnámha sa gcófra mór ? Na pearsain a bhfuil a n-ainmneacha ar chairt sin 1869 agus duine nó beirt a hadhlacadh san uaimh ó shoin? B'fhéidir é. Agus céard a tharla don mhnaoi rialta gur thug sí na ceithre cnámha "slán" léi ón gcosair cró sin? Agus maidir le Samuel Rosborough, cérbh é féin agus cá ndeachaigh a chorp seisean?

22.

Taobh istigh de thimpeall 135 bliana do fuair na Síoras trí sreatha comhraí an duine. Bhí an chéad tsreath ina mhionrábh faoi cheann dachad bliain agus an dara sreath imithe ó mhaith i gceann leithchéad eile, in ainneoin iad bheith déanta den dair ab fhearr a bhí in Éirinn. Cruthú maith é seo ar fhírinne a ndúirt an Curraoineach faoin áit: "The first thing that strikes you is to find that decay has been more busy with the tenement than the tenant." Is fíor, ar ndó, gur hathraíodh na coirp áirithe seo ó lusca gur tháinig cuid mhaith taise chucu isteach i mbláthanna agus *evergreens*, go bhfuaireadar roinnt eile taise, ní foláir, ó bheith i gcomhgar an bhealaigh isteach, agus, fós, go raibh an lintz ag gabháil dóibh i gcónaí: mar sin féin, ar mo chamchuairt tríd an teampall do deimhníodh dom go raibh saol gearr go leor ag comhraí i bpáirteanna áirithe de na luscaí, agus an rud a bhí fíor maidir leis na comhraí bhí sé fíor maidir leis an gcuid ba mhó de na corpáin. Na corpáin a liostálamar ag deireadh na 17ú aoise ní raibh fáil ar oiread is ceann amháin díobh céad go leith bliain ina dhiaidh sin. Is cinnte nach raibh a bhac ar údaráis an teampaill na huamhna a ghlanadh amach ó am go ham agus iad d'athlíonadh. An bheart a rinne Mac Niocaill ar son Chumainn na nUaigheann Náisiúnta rinne muintir an teampaill féin a leithéid go mion minic cheana. Ba ar ócáidí den tsórt sin, mar a mheasaim, a hullmhaíodh cairt sin 1869 agus a bogadh Miss Crookshank don dara uair.

Maidir le Samuel Rosborough, shíl mé i gcónaí gur ghreamaigh cuid den mhistéir seo faoi Miss Crookshank desin ó dúirt an Madánach go raibh an bheirt acu san uaimh chéanna leis na Síoras in 1842. Cérbh é féin, ar chuma ar bith, an Rosborough seo agus cérbh é an 'notoriety' seo a bhí ag rith leis? Shíl mé ar feadh scathaimh go raibh Tasborough agus Rosborough dá meascadh ag an Madánach ar mhodh eicínt. Chreid mé ansin—go maithidh Dia dhom é—gur dhrochduine é Rosborough, fear, b'fhéidir, a rinne gníomh fealltach i Nócha hOcht, an cineál fir gur bhia agus deoch do staraí na nÉireannach Aontaithe é (an focal sin 'notoriety,' nach bhfuil ciall dona leis?) Agus ba mhóide m'aimhreas air nuair a tháinig mé ar an nóta seo ag bun leathanaigh de chaibideal de "Riobaird Emmet" leis an Madánach a d'fhoilsigh a mhac san *Irish Weekly Independent* in 1895. "Ag ceant i Mí na Nollag, 1832, d'earraí Mr. Samuel Rosborough, fear a raibh aithne mhaith air i mBaile Átha Cliath ar feadh dhá bhliain déag nó cúig bliana déag, do díoladh na 'bróga Hessian' a chaith Riobaird Emmet ar an gcroich, agus stoc dubh *velvet,* a raibh dual gruaige fite ar an taoibh istigh den línéadach ann, agus 'Miss C.' marcálta* air." B'sheo duine, dar liom, a raibh lámh is páirt i gcrochadh Emmet aige nó baint aige ar a laghad le lucht a mharfa. Ach bhí breall orm, faoi mar bhí go minic le linn an fhiosrúcháin seo go léir. Dheimhníos gan mhoill, le cúnamh nóta sin an Mhadánaigh thuas, gur cailleadh Rosborough an 3ú lá de Shamhain,

*'Miss C.'=Sarah Curran, grá geal Emmet, gan dabht.

1832, agus gurbh fhear ionraice carthannach i bhfad thar an gcoitiantacht é. Bhí sé ar an ngasra a bhunaigh an Sick and Indigent Roomkeepers' Society ; bhí sé ina Chisteoir ar an gCumann sin ar feadh i bhfad agus ní raibh teora lena ndearna sé de mhaitheas tríd an gCumann agus i slite eile ar son na mbocht lena linn. Bhí an Cumann chomh buíoch sin de gur thógadar leac os cionn cheann de dhoirse Theampall N. Michen in ómós dó in 1862. Ba dhuine de Chaomhnóirí an teampaill sin freisin é, tráth.

Chuir an t-eolas sin teora lem spéis i Samuel Rosborough mar dhuine ach d'fhan spéis agam ann i gcónaí mar chorp. hAdhlacadh i luscaí an teampaill é i Mí na Samhna, 1832. Chonaic an Madánach a chomhra i Mí Eanáir, 1842—bheadh an chomhra iomlán go fóill, gan dabht—ach in 1869 tá an chomhra imithe faoi mar shloigfeadh an talamh í. Ar aon chuma, an té a tharraing an chairt de na luscaí an uair úd dealraíonn sé nár aimsigh sé an sloinneadh Rosborough in aon cheann de na huamhna. Agus ó bhí 37 mbliana imithe ón adhlacadh bheadh sé do réir mar rinneamar amach cheana go mbeadh an chomhra imithe. Céard a fágadh ? Ní dóigh liom gur fágadh aon rud gurbh fhiú a thaispeáint faoi mar a taispeántar na ceithre coirp a bhfuil suim againn iontu inniu.

Cruthaíonn an fhianaise go léir nach bhfuil uaimh na Síoras chomh tirim in aon chor leis an áit a bhfuil na momaigh faoi láthair agus nach móide go sáródh Miss Crookshank féin é mura mbeadh go raibh staid an mhomaigh sroichte aici sul ar tugadh ann í. Cathain ar tógadh as í ? Shíl mé ar dtús gur in 1869 nó uair eicínt roimhe sin a hiompraíodh ón uaimh sin go dtí ionad na momach eile í. Bheadh seo do réir mar adúirt Mr. Hammond liom i litir a scríobh sé chugam i 1943 :

"Béaloideas," ar seisean, "an t-aon údar amháin atá agam lena rá gur tógadh corp na mná rialta as uaimh na Síoras isteach is amach le 70 bliain ó shoin. Bhí togha na haithne ag m'athair ar an gcléireach a bhí ann ins na ceithre fichidí agus is uaidh a chuala sé é. Ní féidir liom a rá anois go cinnte ciacu le linn é bheith in oifig nó nárbh ea a haistríodh an corp, ach is é an scéal a bhí ag m'athair gur tharraing *Beathaí* an Mhadánaigh, iarna bhfoilsiú in 1867,* mórán cuairteoirí go dtí na luscaí agus gur ordaigh Reachtaire na haimsire sin corp na mná rialta agus dhá chorp eile d'aistriú agus gur thit an dá chorp eile as a chéile. Rinneadh an t-aistriú, is dóigh, le breis slí a fhágáil in uaimh na Síoras do na daoine a bhí ag teacht ag breathnú orthusan, ós iontusan is mó a bhí suim an t-am sin."

Tharla Hammond agus a athair chomh hiontaofa sin ní raibh leisce ar bith orm a rá nár imigh "slán" de chionn an aistrithe ó uaimh na Síoras in 1869 ach Miss Crookshank amháin. Chuaigh sí go dtí an áit a dtugtar "uaimh na momach" uirthi ar an gcairt sin de 1869 agus leagadh síos ar an urlár arís í i gcuideachtain an trír eile. Níl éinní sa mbéaloideas ná sna scríbhinní chun a thaispeáint gur bogadh iadsan aon uair. Dá bhrí sin is é mo thuairim gur ó uaimh sin na marbhán a tógadh Miss Crookshank an chéad uair. Tharla sin, creidim, in 1837, mar a d'admhaigh an Madánach sa gcéad eagrán de na *Beathaí* gidh gur athraigh sé sa dara eagrán é. Ach bhí an dáta nua (1832) ag an Madánach mícheart óir deimhníonn Binns gur in

*Níl an dáta seo ceart.

1837, an lá díreach a raibh sé féin ar cuairt sa teampall (in 1837 nó b'fhéidir in 1836) a haistríodh na Síoras, agus tugann an Madánach le fios gur ar an lá céanna a haistríodh Miss Crookshank.

Cé an fáth ar tugadh le chéile iad an chéad uair? Toisc gur oir sin, dar liom, d'údaráis an teampaill: ba chaothúla gan dabht le chéile ansin in uaimh gar don bhealach isteach na príomhchoirp a raibh na sluaite ag triall agus ag tarraing orthu. Ach cé an fhaid a raibh an bhean rialta agus na Síoras i bhfochair a chéile san uaimh a dtugtar Uaimh na Síoras uirthi? Isteach is amach le dhá bhliain triochad a shíleas uair, sé sin ó 1837 go dtí 1869, ach bhí an t-achar níb fhaide ná sin do réir *Old Dublin* le William F. Wakeman (1887), paimpléid a dtáinig mé uirthi le deireannas. Tá seo bunaithe ar roinnt aistí do poiblíodh san *Evening Telegraph* roimh 1887 agus gabhann léaráid leis a thaispeánas ceithre (agus b'fhéidir cúig) comhraí in uaimh na Síoras ag an am sin. Deirtear sa téacs go bhfuil an bhean rialta i gceann acu. Anois má chuirimid an ráiteas sin (ag glacadh gur ceithre comhraí a bhí ann in 1887) agus litir Hammond le chéile is féidir a dhéanamh amach astu gur tógadh Miss Crookshank agus beirt eile as an uaimh in 1887 ach gur thit an bheirt eile as a chéile. An bhliain dá cionn sin (1888) is ea scríobh Vicars a thráchtas. Faoin am sin bhí an bhean rialta ar ais in uaimh na momach.

Bheadh sé neamhloighiciúil dul in éadan béaloideasa na Hammonds sa ní seo tar éis glacadh leis i nithe eile. Do réir J. W. Hammond chuala sé a athair dá rá gur ghearr mac léinn a bhí ag déanamh staidéir ar bhuanna coinneála na luscaí timpeall an ama chéanna lámh agus an dá chois de Miss Crookshank. Níl tásc ar an ngníomh sin ach ag ceann amháin de na scríbhneoirí .i. ag Vicars. Thug seisean faoi deara go raibh ceann de na lámha imithe agus chomh fada is d'fhéad sé fheiceáil bhí " vandal of a tourist " tar éis í ghearradh ón alt. Ní abrann sé tada faoi na cosa, ámh, rud is greannmhar, má bhíodar ar iarraidh ag an am sin. Is é mo thuairimse gur chaill Miss Crookshank an lámh agus an dá chois san am céanna gur thit an dá chorp eile as a chéile, sé sin nuair a bhíothas dá n-aistriú in 1887. B'fhéidir gur le faitíos roimh " vandals of tourists " nó " mic léinn a bhí ag déanamh staidéir ar bhuanna coinneála na luscaí " a haistríodh an bhean rialta ar ais go dtí uaimh bheag na momach, áit a bhféadfaí súil ní ba ghéire a choinneáil uirthi, ach is mó is cosúla, dar liomsa, gur haistríodh í mar go bhfaca údaráis an teampaill gurbh í uaimh na momach an ball ba thirime sna luscaí. Tagann sin le mo bhreithiúnas féin i dtaobh na luscaí : tá spotaí ann is fearr ná a chéile ó thaoibh coinneála agus uaimh seo na momach mar a bhfuil Miss Crookshank ó 1887 i leith an t-ionad is fearr.

23.

Ar dhul ar ais go dtí a seanáitreabh do Miss Crookshank cé mhéid corpán a bhí ansin fré chéile ar taispeáint ? Ceithre coirp atá ann ó 1887. An raibh níos mó ná an uimhir sin ann ariamh ? Do réir ár seancharad, an ceimicceoir, an t-údar is cruinne díobh go léir b'fhéidir, ní raibh ach trí corpáin ar taispeáint an uair a dtug sé féin a chuairt ar an uaimh (1811 nó 1813)—an bhean rialta agus beirt shagart. Luann sé freisin bean a fuair bás i luí seolta agus gur adhlacadh í féin agus a páiste ar a brollach aici, ach tá sé intuigthe ón gcomhthéacs nach in uaimh na momach a bhí sí. In 1888 " bhí ceithre cinn i lár baill gan cláracha " do réir

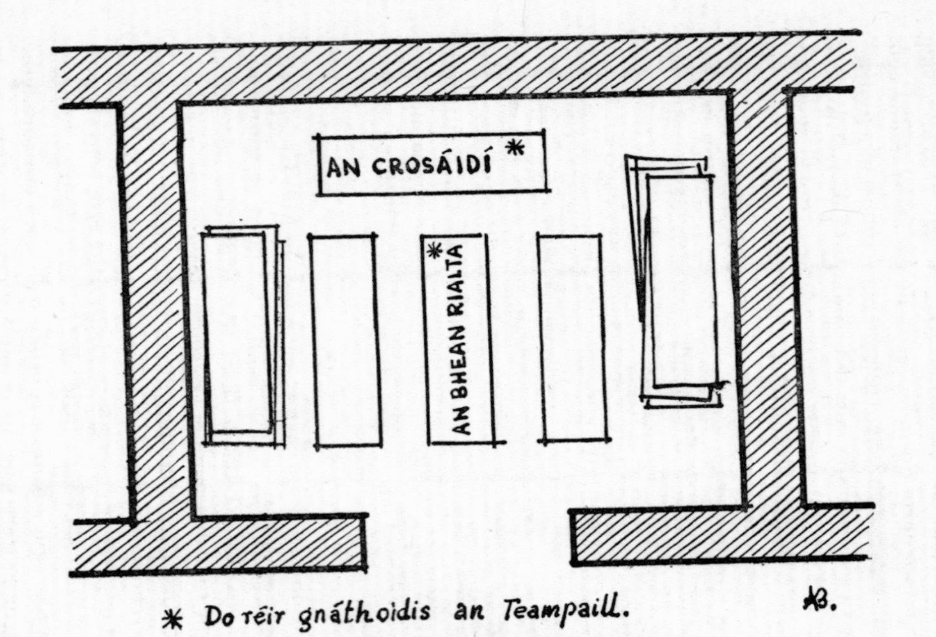

* Do réir gnáthoidis an Teampaill.

AB.

NA MOMAIGH AGUS CÓMHRAÍ EILE.

Vicars, agus ar gach taoibh díobh sin comhraí dúnta, dhá cheann ar clí agus ceithre cinn ar dheis. Ní raibh a fhios aige cérbh iad an ceathrar ach luann sé an bhean rialta agus an Crosáidí. Níl d'athrú ar an scéal mar a chonaiceas le deireannas é ach go bhfuil trí comhraí dúnta ar gach taoibh de na comhraí oscailte agus ar mhullach na dtrí comhraí ar dheis iarsmaí comhra eile, agus plaosc.

An Curraoineach nuair a bhí sé ins na luscaí in 1821 níor dúradh rud ar bith leis faoi na sagairt, sin nó ní raibh an oiread suime aige iontu is go luafadh sé iad. Bhí a aird ar fad, is cosúil, ar an gcorp a bhí ina luí le hais na mná rialta agus, más fíor dó, is éard a bhí ann corp coirpigh óig den 17ú aois. Seo é a ráiteas ina iomláine :

> " Death, as has been often observed, is a thorough Radical, and levels all distinctions. It is so in this place. Beside the Nun there sleeps, not a venerable abbess, or timid novice, or meek and holy friar, but an athletic young felon of the seventeenth century, who had shed a brother's blood, and was sentenced for the offence to the close custody of St. Michan's vaults. This was about one hundred and thirty years ago. The offender belonged to a family of some consideration, which accounts for his being found in such respectable society."

Ba mhó ab aistí liom nár luaigh an ceimiceoir an coirpeach óg lúfar seo ná gur fhág an Curraoineach na sagairt gan tagairt dóibh. Ach ag an am céanna ní féidir liom a rá nach bhfacadar eatarthu ceithre coirp ar fad. Agus an chéad duine eile in ord ama, Caesar Otway (1832), a thráchtas ar na luscaí, ceithre coirp a luas seisean chomh maith. Trí cinn atá ag Binns (1837), ach níl dá aithris aigesean ach scéal an cheimiceora. Ceathrar atá in aiste an *Dublin Penny Journal* (1834)—an bhean rialta, máthair an pháiste, agus " san uaimh chéanna beirt shagart." Tráchtann an *Irish Literary Gazette* (1857) ar sheachtar amach ó na Síoras—an bhean rialta, beirt shagart, bean, páiste, Íosánach, agus fear do rinne dúnmharú, ach tá sé soiléir go bhfuil scríbhneoir an aiste ag inseacht iomlán a bhfaca sé in uamhna deifriúla agus tá fonn orm a rá go bhfaca sé an chéad triúr nó ceathrar ar an liosta buil a chéile. Ní luann Chart (1907) ach an bhean rialta agus an páiste, ach is follas gur i lusca nach n-oscaltar anois don phoiblíocht a bhí an páiste.

Tábla a rinne mé amach ag taispeáint a mhinicí a luann ochtar scríbhneoirí na pearsain faoi seach nochtann sé go luaitear an bhean rialta iontu go léir, go luann ceathrar acu an bheirt shagart agus an bhean a cailleadh i luí seolta, go luann triúr an coirpeach agus beirt an tÍosánach. Bhí rud amháin an-tsoiléir ón tábla .i. scríbhneoir ar bith a thug iarracht ar inseacht cérbh iad an ceathrar dúirt sé go raibh beirt bhan ann, .i. an bhean rialta agus an bhean a cailleadh i luí seolta (d'aithníos ansin, agus ní don chéad uair é, go gcaithfinn saineolaí a thabhairt liom síos ins na luscaí chun inscne na gcorp ar a laghad a dhearbhú). An Curraoineach a bhí chomh deimhnitheach sin i dtaoibh an dúnmharaitheora fheiceáil ina luí le hais na mná rialta d'fhág sé dhá chorp gan lua chor ar bith. Agus an chuid eile acu adúirt gur choirpeach ceann acu thugadar áit, freisin, d'Íosánach. Ins an gcaoi sin bhíodar i leith sagairt amháin in ionad beirte.

Amach ón ndearbhú a thug an tábla dhom gur chreid bunáite na scríbhneoirí gurbh éard a bhí i dtrí de a ceithren coirp (1) an bhean rialta, (2) agus (3) sagairt, thugas faoi deara gurbh shin é go díreach an tuairisc orthu a thug an chéad chuairteoir gur shaineolaí de shaghas eicínt é, an ceimiceoir. Maidir leis an gceathrú corp dúirt bunáite na scríbhneoirí gur bhean a cailleadh i luí seolta é. Faoin am go raibh Vicars ann,—sórt saineolaí ab ea eisean freisin—bhí an traidisiún ag éirí tanaí. Níor chuala sé smid faoin mnaoi seo ná faoin leanbh a lobh ina bacán. Níor chuala sé ach an oiread faoi shagairt nó Íosánach a bheith san áit. Dá gcluineadh, déarfadh sé linn gan teip é. Ach aithriseann sé go cé mar thaispeáin an Cléireach dhó—ní in uaimh na momach é ach i gceann de na huamhna i Lusca a Chúig—corp fir go raibh píosa crêpe, a bhí dearg le haois, ceangailte ar a shúile. "Má b'fhíor don Chléireach," arsa Vicars, "ba chomhartha é seo gur crochadh é, rud atá inchreidte go leor ó bhí Teampall N. Michen suite gar do shean-Newgate, príosún Bhaile Átha Cliath, agus bhí ceart ag an bparáiste na ropairí a cuireadh chun báis ansin a adhlacadh agus táillí móra a tuilleamh orthu." Má ghlacaimid gurbh ionann an corp sin a luas Vicars, pé cuma inar tharla gur dealaíodh ón mnaoi rialta é, agus an ceann atá i gceist ag an gCurraoineach, ní miste dhúinn, is dóigh liom, a chreidiúint gurb éard atá ins na ceithre coirp ná (1) bean rialta, (2) bean a fuair bás i luí seolta, agus (3) agus (4) beirt shagart. Agus maidir leis na sagairt b'fhéidir gur le Cumann Íosa iad araon. Mar is eol don léitheoir, ba ghnáthach do Phrotastúnaigh ariamh bheith neamhchruinn faoi shagairt agus Íosanaigh agus idirdhealú nár ghá a dhéanamh eatarthu.

24.

Pé áit a bhfuil corp an choirpigh faoi láthair, cérbh é

féin? Cé an t-ainm a bhí air?

Ar ádhmharaí an tsaoil bhí na hadhlactha go léir ins na luscaí ó 1686 go 1700 breactha síos ag mo mhac, agus ionad gach coirp socraithe aige chomh fada agus bhí na seoraí ins na cláracha cruinn go leor chuige sin. Uaireanta ní rabhdar ná cruinn. Chuas mar sin ag lorg beirt dearthái r iontu a d'éag i bhfoisceacht gearrthamaill dá chéile. Mheasas go raibh seans maith ann go gcuirfí sa teampall céanna iad—bheadh sé do réir nádúra go ndéanfadh a muintir amhlaidh leo—ach murar rinneadh sin chaithfinn ainm agus stair an choirpigh a thóraíocht in áit eicínt seachas croinicí an teampaill. Greannmhar go leor d'aimsíos ceithre phéire dearthái r mar a leanas:

(1) 31 *Bealtaine*, 1687: John, son of Charles Delaune and Catherine, his wife.

13 *Lúnasa*, 1687: Henry, son of Charles Delaune.

(2) 10 *Aibreán*, 1698: Richard, son of John Eccles, merchant, and Elizabeth, his wife.

25 *Márta*, 1699: John, son of John Eccles, merchant, and Elizabeth, his wife.

Cuireadh an dá bheirt seo i Lusca an Chaingeil agus ó b'é seo an lusca fliuch nár tháinig aon chorp as " slán " go bhfios dom, níor bhacas a thuilleadh leo.

(3) 6 *Márta*, 1699: Nicholas, son of Samuel Moore and Margaret, his wife.

14 *Bealtaine*, 1700: Edmond, son of Samuel Moore and Margaret, his wife.

(4) 12 *Deireadh Fómhair*, 1696: John, son of John Lovat and Susanna, his wife.

19 *Iúl*, 1697: Lawrence, son of John Lovat and Susanna, his wife.

San uaimh in aice le hUaimh na Síoras ar a dtaispeántar na sloinnte Smith, Ellison, agus Teeves ar chairt sin 1869 a hadhlacadh na Moores. Cosair cró a chonaic scríbhneoirí éagsúla ansin san 19ú aois agus ba leor liom sin chun an bheirt sin freisin a ligean tharm. Ach nuair a tháinig mé ar an gceathrú beirt, John agus Lawrence Lovat, shíl mé ar an toirt go rabhdar seo dealrathach go leor, go mórmhór ó bhí sé cinnte gur adhlacadh Lawrence (" an dúnmharaitheoir ") san uaimh in aice le huaimh na momach, an uaimh ar chairt 1869 ar a bhfuil na focla " Seanchnámha, etc.," scríofa, agus gur adhlacadh a mháthair, Susanna Lovat, san áit chéanna an bhliain dá chionn sin—le croí briste, b'fhéidir, má tá bunús ar bith lenár dtomhaiseanna. Is féidir gur in uaimh eile agus b'fhéidir i lusca eile ar fad a hadhlacadh John (an deartháir do maraíodh)—níl na croinicí go beacht ina thaoibh sin. Ach an t-aimhreas sin féin neartaíonn sé leis an mbarúil gurbh é Lawrence Lovat an dúnmharaitheoir agus gurbh é an áit a bhfaca an Curraoineach agus cuid eile acu é san uaimh atá taobh le huaimh na marbhán.

Ba mhó ná ariamh a bhíos ag tnúth leis an lá a dtiúrfainn *pathologist* liom go dtí na luscaí. Bheinn ag súil go bhféadfadh sé ní hamháin inscne na gcorp a inseacht dom, an t-achar a rabhdar marbh, a n-aoiseanna ag uair a mbáis, ach ciacu fuair duine acu bás de bharr a chrochta.

25.

An tagairt san *Irish Literary Gazette* do na luscaí ba é nach mór an ceann deiridh a bhuail liom i mo chuardach. Ní heol dom ainm an údair ach, pérbh é féin, ba duine a bhí claonta chun an chruinnis é. Níor leasc leis dearmaid i saothar dhaoine eile a cheartú agus am ar bith is féidir leis tugann sé dáta le pérbí faisnéis atá sé ag ligean linn. Teipeann an cruinneas air amanta—mar shampla, nuair adeireas sé go bhfuil " teampaill eile i mBaile Átha Cliath atá nótálta i dtaoibh coirp a choinneáil sa riocht leathmhomach seo " gan a rá cá bhfuil siad. Ach filleann sé chuige nuair a insíos sé dhúinn go maireann coirp gan lobhadh ar feadh i bhfad i dTeampall Chnoc Muighe i gContae na Gaillimhe. Ní thig liomsa a rá ar ndó ciacu tá na ráitisí sin ceart nó nach bhfuil.

Tá dhá dháta loma ag an údar seo: 1781, an bhliain " adeirtear a cailleadh " Miss Crookshank, agus 1783, an bhliain a bhásaigh an tÍosánach. Chuaigh sé i gcionn orm nuair a léigh mé ar dtús é an chaoi a chuir sé síos an dáta sin 1783 gan tada a chur leis mar rinne sé i gcás na mná rialta. Dob fhacthas dom go raibh an dáta 1783 deimhnithe aige féin ar chuma eicínt, ach thóg sé 1781 ó Wright's *Historical Guide to the City of Dublin* agus ar ndó ní raibh ag Wright ach an t-eolas a fuair sé ón gceimiceoir. Ar an gcuma chéanna is follas go raibh an t-údar ag caint faoi rudaí a chonaic sé féin nuair adúirt sé go raibh corp na mná rialta " in a very perfect state," go raibh " her frilled cap . . . partly preserved, and some white satin which tied her feet," bíodh nár luaigh éinne roimhe sin nó ina dhiaidh na miontseoraí sin.

Chuas ag lorg tacaíochta le dáta bhás an Íosánaigh. Ní raibh i bhfad le dhul agam. Do chonaiceas tagairt san *Apostle of Catholic Dublin* leis an Dr. Maolmhuire Ó Rónáin do leabhar, *Jesuits in Dublin,* do scríobh duine darbh ainm Battersby in 1854, agus nuair a d'fhéachas isteach ann do thángas gan mhoill ar an eolas go bhfuair Father John

Fullam, sagart den Chumann, bás ar an 7ú lá de Lúnasa, 1783, sin "nó go luath i 1784." Ní deirtear go díreach cár cuireadh é ach is intuigthe ón leabhar, mar a chífimid ar ball, gurb é Teampall N. Michen an áit.

A mhire a d'éirigh liom ráiteas an *Irish Literary Gazette* maidir leis an Íosánach a dhearbhú, thug sé misneach dom dáta bhás Miss Crookshank a ionsaí athuair. 1781 a bhí ag an gceimiceoir ceart go leor ach níor dhúirt sé gur sa mbliain sin "adeirtear a cailleadh" í faoi mar a bhí ag údar an aiste san *Irish Literary Gazette* ach "go bhfuil a corp le triocha bliain (roimh 1811*) in áras seo an bháis." B'fhéidir go raibh an ceart ag an scríbhneoir san *Irish Literary Gazette* an chiall a bhain sé as an abairt sin a bhaint aisti ach péacu bhí nó nach raibh mheabhraíos dom féin nach é amháin gurbh é an ceimiceoir an chéad duine ar mo liosta de scríbhneoirí do chuir síos ar na luscaí ach gur dhuine an-chruinn, an-iontaofa é. Rud eile dhe is in 1811 a foilsíodh an aiste: dá bharr sin pé rud is mian leis a rá faoi 1781 tá sé ag caint ar rud a tharla lena linn féin, rud a d'fhéadfadh a bheith ina eolas féin. B'ionann an cás ag an gCurraoineach é: ní raibh ach aon bhliain déag idir fhoilsiú a leabhair seisean agus aiste an cheimiceora. Bheadh tarlachtaintí 1781 ina eolas féin, ní foláir. Maidir leis an Madánach, níor rugadh eisean go dtí 1798: rud ar bith a scríobh sé mar sin faoin mnaoi rialta caithfidh sé gur léigh sé faoi nó gur chuala sé faoi ó dhaoine eile. Níl mé ag cur in aghaidh fiúntais an bhéaloideasa taobh istigh de théarma gearr

*Má bí 1781 an bhliain "adeirtear a cailleadh" Miss Crookshank, do réir an *Irish Literary Gazette*, agus má bhí "a corp le triocha bliain in áras seo an bháis" do réir an cheimiceora, dheimhneodh sin gur in 1811 do scríobh an ceimiceoir a aiste.

mar seo : níl dá rá agam ach go raibh an ceimiceoir suite ní ba neasa, ó thaoibh ama, do 1781 le breith níos fearr a thabhairt ar pérbí rud a tharla don mhnaoi rialta an bhliain sin.

Céard a thárla dhi an bhliain sin ? Ní raibh sé furasta, agus níl sé furasta anois féin, an cheist sin a fhreagairt. Do réir na céille a bhaineas tú as na focla a úsáideas an ceimiceoir, an Curraoineach agus an Madánach faigheann tú dhá thoradh contráilte. Mura bhféachann tú laistiar d'abairt sin an cheimiceora i dtaoibh an corp a bheith " triocha bliain in áras seo an bháis " glacfaidh tú le 1781 ar an bpointe boise mar dháta a báis. Agus ní chuimhneofá ar é sin a dhéanamh mura mbeadh go bhfuil eolas agat ar an tagairt sin ag an gCurraoineach dá dara hadhlacadh agus go gcuireann an Madánach a bás siar achar maith roimh 1781. Ní raibh ráitis an Churraoinigh agus an Mhadánaigh ar eolas ag an scríbhneoir san *Irish Literary Gazette*—mar sin, ní raibh aimhreas dá laghad air nach i 1781 a cailleadh an bhean rialta agus a hadhlacadh í don chéad uair ariamh i dTeampall N. Michen.

Féadaim a rá gur chruaidhe an machnamh a rinne mé ar an bpointe seo ná ar aon ghné eile den fhiosrúchán uilig. Arbh fhéidir ciall ar bith seachas gur roimh 1781 a cailleadh í a bhaint as ráitis an Churraoinigh agus Mhadánaigh ? Bhí sin riachtanach má bhí gnáthbhrí na bhfocal a úsáideas an ceimiceoir le seasamh. Thóg mé focla an Churraoinigh ar dtús agus léigh mé agus do sheanléigh mé iad i gcaoi go raibh siad beagnach de ghlanmheabhair agam :

" Among these remnants of humanity, for instance, there is the body of a pious gentlewoman, who, while she continued above ground, shunned the eyes of men in the recesses of a convent . . . I understood that her age was one hundred and eleven years, not including the forty that had elapsed since her second burial in St. Michan's."

Arbh fhéidir gur ag caint i samhlaoidí a bhí an Curraoineach ansin, gurbh adhlacadh amháin, dar leis, na bliana a chaith Miss Crookshank ins an gclochar sul a ndearnadh an dara adhlacadh uirthi i dTeampall N. Michen ar a cailleadh ? Tá an Curraoineach tugtha don saghas sin scríbhneoireachta. Féach, sa gcéad alt eile dá aiste, mar shampla, an chaoi a léiríonn sé bás an choirpigh óig lúfair a thug fuil a dhearthár. " [He] was sentenced for the offence to the close custody of St. Michan's vaults." Sea, d'fhéadfaimis casadh a bhaint as ráiteas an Churraoinigh a bhéarfadh tacaíocht don bhliain 1781 mar bhliain bháis Miss Crookshank. Agus mheasas gur chuir na focla " . . . her age was one hundred and eleven years, not including the forty that had elapsed since her second burial . . . " thar aimhreas ar bith é. Má bhí sí basaithe le breis agus dachad bliain nach gcuirfí sin lena haois ? I bhfocla eile, má chaith sí seasca bliain adhlactha in áit amháin agus dachad in áit eile, nach gcaithfeadh an scríbhneoir an seasca a chur in iúl dhúinn ar bhealach eicínt ? Nach n-abródh sé i mBéarla " not including the sixty years she spent after her death in . . . nor the forty that had elapsed since her second burial in St. Michan's " nó rud eicínt mar sin ? Sea, bhíos cinnte anois gur chreid an Curraoineach gur éag Miss Crookshank i 1781.

Ach céard mar gheall ar an Madánach ? Leis an bhfírinne a dhéanamh chuir an Madánach i bponc mé. D'fhéachas ar an gcaibideal den leabhar seo* a thaispeánas an ceartú a rinne sé san dara eagrán (1860) de na *Beathaí* ar na dátaí a bhí aige sa gcéad eagrán chun a chur i gcuimhne dhom féin an méid a d'fhág sé againn dá ráiteas bunaidh de 1842. B'sheo ar fhan de :

> " . . The remains are those of a person, in former time renowned for her piety—a member of a religious community—of the name of Crookshank. Some sixty or seventy years ago, the wonder-working effects produced by this good lady's remains, used to bring vast numbers of visitants to her tomb."

Ins an gcéad eagrán (1842) is cuimhin leis an léitheoir gur thrácht an Madánach ar na mílte de mhuintir Bhaile Átha Cliath a rinne " leathchanónú " ina n-intinn féin ar an mnaoi rialta " beagnach céad bliain ó shoin." Lig sé an tagairt sin ar fad ar lár sa dara eagrán. Agus ní healaí dhúinn a fhiafraí anois cad a cheap an Madánach go díreach den " beagnach céad bliain ó shoin " sin in 1860. Bhí cuairteoirí as cuimse ag teacht chun an corp a fheiceáil i 1790-1800. An amhlaidh a bhí an Madánach sásta in 1860 go raibh sé ag leathnú an ré roimhe sin siar go dtí lá a báis an iomarca nuair adúirt sé sa gcéad eagrán go raibh Miss Crookshank ina naomh gan canónú ins an gcathair timpeall 1750. Tar éis an scéal a mheá a thuilleadh rinne mé suas m'intinn, pé rud a chreid an Madánach in 1842, nach bhféadfainnse a thógáil ón eagrán deiridh de na *Beathaí* a cheartaigh sé féin ach gur cailleadh Miss Crookshank uair eicínt roimh 1790. Ag an am céanna mheasas nár cheart dom *implications* an chéad eagráin a ligean as mo cheann ar fad is go

*Caibideal 14.

mb'fhéidir nach le fonn an tagairt do "beagnach céad bliain ó shoin" a cheartú a d'fhág sé an t-alt faoin leathchanónú ar lár. Thosnaigh an t-alt sin le tagairt do Mr. Samuel Rosborough agus dá "notoriety"; b'fhéidir gur shíl an Madánach nár mhiste an tagairt sin a fhágáil ar lár agus gur imigh an t-alt ar fad léi.

Do chuimhníos, ar an láimh eile, gurbh é an Madánach féin a d'aithris dúinn a ndúirt an Curraoineach faoi na luscaí. Níorbh é ba mhian leis an Curraoineach a bhréagnú. Go deimhin, d'fhéadfainn bheith cinnte dearfa gur ghlac sé le chuile fhocal dá ndúirt sé. Má sheas an Curraoineach, in ainneoin a shamhlaoidí, le 1781 mar dháta bháis Miss Crookshank, b'é sin gan dabht dáta an Mhadánaigh chomh maith. Ach ní fhéadfainn bheith cinnte d'aon rud nó go bhfeicfinn cé an t-eolas a bhéarfadh Cláracha na nAdhlactha sa teampall i rith na 18ú aoise dhom. Bheadh orm an ré ó 1780 aniar a bhreithniú go mion agus dul siar isteach sa gcéad leath den chéad dá mba ghá.

26.

Bhí an tAthair Mac Fhir Léinn, C.Í., ar na daoine iomadúla a tháinig i gcabhair orm. Fear é nach raibh ach aithne shúl agam air: d'fheicinn é féin agus an tAthair Mícheál Mac Craith ag siúl agus ag comhrá le chéile timpeall an ghairdín álainn am ar bith a ndéanainn mo chuairt ar Bhaile Pháirc an Mhuilinn. Bhí a fhios agam an cháil a bhí air mar scoláire, na leabhra a bhí scríofa aige. Ach níor rith sé ariamh chugam go mbeadh suim ar bith aige im ghnósa—níl a fhios agam tuige. B'é mo chara, Father Burke-Savage, a labhair leis ar mo shon, agus a d'fhiafraigh dhe ar tháinig sé ar aon tagairt don mhnaoi rialta le linn dó bheith ag gabháil trí nuachtáin agus irisí na ndéaga tosaigh den 19ú céad, obair a tharla bheith ar siúl aige le tamall ag an am sin. Níor tháinig agus, faoi mar adúirt Father Burke-Savage, " ba droch-chomhartha don ré sin é óir tá súil iontach aige agus cuimhne nach dtréigeann."

Is é mo ghéarchrá anois agus go brách nár bhaineas breis feidhme as tallaintí an tseantsagairt úd. Thug sé cuireadh dhom teacht agus an fhadhb seo a bhí ag déanamh tinnis dom a chardáil leis ach rinne mé faillí ann agus faoin am go raibh mé réidh le dhul chuige bhí sé marbh. Go ndéanaidh Dia trócaire ar a anam fial flaithiúil. Ach bhí dhá litir agam uaidh a chuidigh liom go mór im thóraíocht, dhá litir a nochtas leithead agus doimhneacht agus cruinneas a intinne agus méid neamhghnáthach a mheanmnan, agus bainim astu anseo sliocht nó dhó :

> " Más cuimhin liom i gceart," ar seisean, sa gcéad litir díobh, " dúradh liom nó léas in áit eicínt gur bhean rialta den ré roimh an Athrú Creidimh an bhean atá curtha i dTeampall N. Michen, ach táim suite dhe nach fíor sin, *más* Crookshank a bhí uirthi. Tar éis iniúchadh tapaidh a dhéanamh is é an chéad áit a fuaireas an sloinneadh sin sa dara déag den 18ú aois : is follas gur Phrotastúnaigh ag an uair sin iad, agus nárbh fhada tagtha go hÉirinn iad, tar éis an *Act of Settlement* nó *Confiscations* na Liamach, ní foláir. Bean rialta dar shloinneadh Crookshank san 18ú aois, mar sin, chaithfeadh sé gurbh iníon de lanúin mheasctha í, nó duine a d'iompaigh ina Cataoiliceach nuair a bhí sí amach sna blianta."

Filleann an tAthair Mac Fhir Léinn ar an ngné seo den cheist ina dhara litir, tar éis deighleáil le ceann de na tuairiscí a bhí sa *Dublin Penny Journal* :

" Maidir le Miss Crookshank," adeir sé, "tá chuile shórt a bhaineas léithe aimhreasach neamhiontaofa. Ar bhean rialta í ? Ní tugtar de chruthúnas gurbh ea ach gnáthoideas den 19ú céad ; ach an bhfuil an gnáthoideas sin muiníneach ? D'fhéadfadh an scéal sin a dhul amach uirthi dá bhfaightí croch chéasta agus paidrín ina lámha. B'fhurasta do Phrotastúnaigh a leithéid sin de dhearmad a dhéanamh. Arís, cuir i gcás gur bhean rialta í, cé an áit a raibh cónaí uirthi ? Do réir mo chuimhnese nuair a taispeánadh an corp dom seasca bliain ó shoin (ó 1946) dúirt an Cléireach Protastúnach liom gur bhean rialta ón am roimh an Athrú Creidimh í, agus dúradh an rud céanna le daoine eile chomh maith. B'fhéidir gur cheap an Cléireach nach raibh aon mhná rialta i mBaile Átha Cliath le linn na nDlithe Pianúla bheith i bhfeidhm, i gcás nach bhfuil a fhios againn cá bhfuilimid ar aon chor. Déanann an scéal seo [an Mhadánaigh] amach gur bhean rialta den 18ú céad í, ach an raibh bean rialta mar í ann an uair sin ? Níl de chruthú air sin ann ach a hainm a bheith i gcroinicí Dhoiminiceánach nó Cláracha Bochta Bhaile Átha Cliath, nó é bheith scríofa in irisí adhlactha theampaill Phrotastúnaigh N. Michen gur bhean rialta í. Má theipeann na foinsí sin ort, tá gach aon rud aimhreasta.

" Bhí Íosánach ann darbh ainm Alexander Crookshanks, do rugadh in Albain i 1709, do bhí ina Reachtaire ar an gColáiste Albanach i nDouay i 1748, do bhí ina chónaí i bPáras i 1762, agus go bhfuilim gan eolas i dtaoibh dáta a bháis. Bheadh Miss Crookshank ina comhaimsearach dhósin, agus d'fhéadfadh col a bheith aici leis, agus ós rud é nach raibh clochair Chataoiliceacha in Albain go dtí 1836 do tharlódh, b'fhéidir, go ndeachaigh sí isteach i gceann i mBaile Átha Cliath. Luaim an méid sin le hionchas go gcabhródh sé leat ach níl ann ach sin. B'fhéidir nach raibh aon ghaol aici le Crookshanks Cromalacha Bhaile Átha Cliath ach gur Albanach ó thuisme í. Féach chomh lán is tá an nóta seo de bhuillí faoi thuairim : tugann sé níos mó fadhbanna dhuit ná mar réitíonn sé."

Bhéarfaidh an léitheoir faoi deara go ndearna mé gach ar chomhairligh an tAthair Mac Fhir Léinn dom a dhéanamh agus gur chlis orm duine a raibh Crookshank uirthi nó sloinneadh ar bith cosúil leis a aithneachtáil i measc na gcúig bhfondúireachtaí de mhná rialta (Benedictínigh, Doiminiceánaigh, Cláracha Bochta, Carmelítigh agus Siúracha d'Ord na Toirbhirte) a bhí i gcomharsanacht Theampall N. Michen idir 1686 agus 1800.

D'éirigh liom, le cúnamh bheirt charad eile (Éamonn Mac Giolla Iasachta agus R. C. Symington) teacht ar Crookshanks a bhí ann roimh an dara déag den 18ú céad, an ré is túisce ina bhfuair an tAthair Mac Fhir Léinn an sloinneadh tar éis gearrchuardaigh. Taispeánann Cláracha clóbhuailte Theampall N. Michen gur baisteadh nó gur cailleadh seisear den sloinneadh sin idir 1661 agus 1699 : clann William Crookshanks (sic), tábhairneoir, agus a mhná, Margaret nó Mary, cúigear acu ; James Crookshanks ab ainm d'athair an duine eile, ní luaitear a ghairm ná ainm a mhná céile. Iníon leis, páiste beag, a cuireadh an 16 Meitheamh, 1661. Ar an 21 Lúnasa, 1698, do cuireadh Mary, iníon le William Crookshanke, ach ní luaitear éinní mar gheall uirthi. Is léir, ámh, nach raibh inti ach girseach ós rud é go raibh leanaí eile dá saolú dá tuismitheoirí le linn na mblianta go díreach roimh a bás agus tar a éis. Ar aon chuma ní istigh sa teampall ach i gcré na cille a hadhlacadh í. Fágann sin aon iníon amháin eile de chuid William Crookshanke, an tábhairneoir, .i. Margaret, do rugadh an 20 Feabhra, 1696. Céard do tharla disin? Bhí sí ina beathaidh i 1700, dealraím, agus nótálas go gcaithfinn croinicí an teampaill don 18ú céad a chuardach di. Ach murar athraigh an saol go mór dá bunadh ní móide go bhfaigheadh sise cóir-adhlacadh ins na luscaí—seachas mar a fuair a deirfiúracha beaga—ar éag di.

Chuardaigh Éamonn Mac Giolla Iasachta san Oifig Gheinealais dom—go gcúití Dia a shaothar leis—agus sholáthraigh sé liostaí áirithe dhom dá bharr. An ceann is úsáidí dhíobh taispeánann sé fir áirithe den sloinneadh Crookshank, Crookshankes, nó Crookshanks, do thóg ceadúnaisí pósta amach idir 1668 agus 1819. Seisear a bhí ar an liosta seo: beirt ghréasaí, aon "gent." amháin, triúr "Esquires" agus aturnae. Phós ceathrar acusin le baintreachaí, ní gur iontach, agus ceiliúradh an pósadh i ngach cás inar taispeánadh an áit taobh amuigh de pharáiste N. Michen. Ba Bhleácliathaigh na fir uilig cés moite den aturnae, Alexander Crookshank. B'as Doire Choluim Cille eisean.

Agus cuireann Doire Choluim Cille i gcuimhne dhom Crookshanks eile ar tháinig mé orthu i mo chuardach. Is cosúil go dtáinig cuid mhaith acu ó Albain nuair a bhí Cúige Uladh dá plandáil faoin gcéad Rí Séamas agus gur lonnaigh siad i gContae Dhoire. Bheadh a mbunáite ina bPreisbítrigh, im thuairim: ní bheadh siad ina gCataoilicigh ar chaoi ar bith, cés moite den chorrdhuine i bhfad ó chéile a d'iompaigh má d'iompaigh duine ar bith acu. Ceithre fichid bliain i ndiaidh na plandála tháinig an dara Séamas go hÉirinn, agus fhad a bhí a shaighdiúirí ag iarraidh Cathair Dhoire a bhaint de chlainn na bplandóirí ghlaoigh sé Dáil nó Párlaimint le chéile i mBaile Átha Cliath. Na huaisle Cataoiliceacha is mó a bhí i láthair agus bíodh nárbh é ba mhian leis an rí chuir siad Acht na Plandála ar ceal scutscat, gan cúiteamh ar bith a sholáthar d'aon duine a cheannaigh ó na plandóirí bunaidh. Ritheadh *Act of Attainder* in aghaidh timpeall 2,400 tiarnaí talún agus a leith-éidí a d'imigh as Éirinn le faitíos roimh an dara Séamas. Tugadh seilbh ar a gcuid talún don rí agus hordaíodh dóibh filleadh go hÉirinn lena ndílseacht a phromhadh nó a dtriail a sheasamh. Níor tugadh a ndóthain ama dhóibh, do réir Éamoinn Cuirtéis, an staraí, le sin a dhéanamh. Bhí Séamas go láidir in aghaidh an Achta seo ach b'éigean dó géilleadh dá bhacaíocht. Ní nárbh ionadh chuir an dlí na Liamaigh sa dá thír ar buile agus bhí sé ina chionn-tsiocair leis an drochíde a fuair lucht leanúna Shéamais uathu ar ball.

Nuair a dhún na "apprentice boys," trí dhuine dhéag acu, geataí Dhoire in éadan airm Shéamais bhí Crook-shanks amháin ina measc, William Crookshanks, agus bhí de mhéid an ghaisce a rinne sé go ndearnadh lefteanant dhe ar cheann de chomplachtaí na cathrach agus lean an gradam sin aige tríd síos go deireadh an léigir. Tá a ainm ar liosta na ndaoine gur bhain "Parlaimint Thírghrách" Bhaile Átha Cliath a dtailte dhíobh. Bhí John Crookshanks áirithe ina chosantóir freisin ar Dhoire: níl a fhios agam an raibh gaol aige le William nó nach raibh. Níl a fhios agam ach an oiread an é an John Crookshanks céanna atá ar liosta Buirgeach nua Dhoire (a bhí dílis don dara Séamas roinnt blian roimhe sin) atá mar aguisín le leabhar King faoi staid na bProtastúnach faoi rialtas Shéamais. Ach dá shuimiúil é sin go léir, ní thig liom a rá go raibh dáimh ná gaol ag ceachtar de na Crookshanks sin leis an mnaoi in uaimh na momach.

Do fuaireas sa *Journal of the Association for the Preservation of the Memorials of the Dead in Ireland* eolas ar Crookshanks eile do cailleadh san 18ú agus san 19ú céad agus eolas is ea é seo do scríobhadh síos ó na liaga os cionn a n-uaigheanna i gContaethe Bhaile Átha Cliath, Chorcaí, an Dúin agus Aondroma, rud a thaispeánas an scaipeadh a chuaigh ar an mbunadh leis an aimsir. Ach cés moite d'aon duine amháin níor thugas aon aird orthu. B'é duine é sin ná Alexander Crookshank, a bhfuil leac mhór in ómós dó i dTeampall Protastúnach Bhaile na Manach i gContae Bhaile Átha Cliath, leac a thugas teist ar ábaltacht agus cneastacht fir a bhí ar feadh 17 mbliana ina bhreitheamh sa Court of Common Pleas in Éirinn agus a fuair bás an 10ú lá de Mhí na Nollag, 1813, in aois a 77. Tá sé féin agus a bhean, Ester, curtha san uaigh amuigh sa reilig maraon le beirt iníon le mac leo a cailleadh le fiabhras in 1843. Ach ar a shon go dtugaim an tuairisc sin ar an mBreitheamh Crookshank agus a mhuintir níl de spéis agam iontu ach gur thugadar ar ais im chuimhne abairt thábhactach i gceann de na litreacha a scríobh an tAthair Mac Fhir Léinn chugam. "Thugais chun d'aire, ní foláir," ar seisean, "an scéal greannmhar gur Crookshank ab ainm do dhuine de na breithiúin do dhaor na Síoras." Leis an fhírinne inseacht níor thugas sin faoi deara ar aon chor gur mheabhraigh an tAthair Mac Fhir Léinn dom é ach nuair do rinne, do cheapas gur thuigeas cad chuige a bhí sé. Arbh fhéidir gur cheann eile de thuaiplisí an Mhadánaigh é seo ? Ins an roinn chéanna dá leabhar inar thrácht sé ar an mbeirt deartháireacha is ea tharraing sé scéal ar an mnaoi rialta. Nach dtarlódh go nglaofadh sé as a hainm uirthi nuair a gheobhadh sé í féin agus na Síoras i gcuideachtain a chéile san uaimh sin, go dtiúrfadh sé trí thaisme uirthi ainm a bhí ceangailte ina aigne le triail agus bás na ndeartháireacha ? Ach ar dhul isteach sa rud ní ba dhoimhne, chonaiceas nárbh é an Breitheamh Crookshank leis féin a thlig na Síoras : bhí beirt bhreithiún eile in éindigh leis. Tuige an gcuimhneodh an Madánach ar Crookshank in ionad Carleton nó Smith ? Shílfeá go mba chóra dhó cuimhneamh ar dtús ar Carleton. B'é sin an Príomh-Bhreitheamh agus thit sé de chrann ar an Madánach a chruthú ins na *Beathaí* nach raibh údar ar bith leis an ngráin shaolta a bhí ag pobal Bhaile Átha Cliath air. Shíleadarsin, is cosúil, go raibh gaol ag Carleton leis na Síoras agus gur fhág a n-athair ar caomhaint aige iad ar a chailleadh. Ach d'fhear eile ar fad, do Bharon Carleton a bhain le piaireacht Shasana, a tugadh an cúram sin. Déanann an Madánach amach gur maraíodh Lord Kilwarden an lá a d'éirigh Emmet amach in 1803 ó chreid an slua gur Carleton a bhí acu ! B'uafásach an dearmad é : dearmad dúbalta, má bhí an fear ba mhian leo a mharú neamhchiontach freisin. Ach ní hé seo ach é siúd : má ba tuaiplis a rinne an Dochtúir Ó Madáin agus Crookshank a ghlaoch ar an mnaoi rialta in 1842, tuige nár cheartaigh sé é san eagrán de 1860 ? Os a choinne sin, má ba Crookshank dá ríre ab ainm di nach aisteach nach ndearna an Madánach an rud a rinne an tAthair Mac Fhir Léinn liomsa, sé sin, a chur ar a shúile dá léitheoirí gurbh ionann sloinneadh don mhnaoi rialta agus do dhuine de na breithiúin a dhaor na Síoras.

Bhí fonn orm a chreidiúint gur scríobh an Madánach síos an t-ainm Crookshank sa gcéad eagrán go díreach mar fuair sé é ó dhuine eicínt agus nár chall dó é cheartú ar ball de bhrí nár chuir duine ar bith in aghaidh an ainme. B'fhéidir go bhfuair sé deimhniú ar an ainm i gcláracha an teampaill ach ní dóigh liom go raibh an tagairt di sách tábhachtach le go mbreathnódh sé isteach ins na hirisí. Chífinn féin an bhfuair nó nach bhfuair nuair a bheinn féin ag obair ar na hirisí sin i gceann scathaimh. Ach idir dhá linn b'fhacthas dom go raibh an oiread údaráis le Mackintosh a ghlaoch uirthi—tagairt scríofa amháin ag an Urramach Robert Walsh agus focal an tsean-Chléirigh, Hall—agus bhí le Crookshank, bíodh go raibh tagairt an Mhadánaigh i bhfad ní ba luaithe ó thaoibh ama agus go raibh an Madánach féin, dá neamhchruinne é, ní ba iontaofa ná an Dochtúir Urramach Walsh. Aon rud amháin a luigh ar m'aigne : nár thug éinne seachas an Madánach agus an bheirt eile úd ainm ar bith ar an gcorp. Arbh fhéidir nár chuala an ceimiceoir a hainm, ná Wright ná Caesar Otway ná Binns ná Vicars ná Chart ná Wakeman ná éinne eile seachas an t-aon Chataoiliceach amháin, de réir dealraimh, a scríobh mar gheall uirthi, sé sin, an Madánach, agus gur dhual dósan suim a bheith aige inti mar Chataoiliceach agus fáil aige, b'fhéidir, ar ghnáthoideas nach bhfaigheadh scríbhneoirí eile gan mórdhua ?

Níor dhearmad liom an gaol a bhí ag na sloinnte Crookshank agus Mackintosh lena chéile—sloinnte Albanacha ab ea iad araon ; na tosca a bhain le Crookshank, faoi mar léiríos cheana iad, bhainfidís le Mackintosh freisin. Agus ar eagla na heagla, ba cheart dom a rá athuair nár thángas ar Mackintosh ach an oiread le Crookshank in aon cheann de chroinicí na gcúig bhfondúireachtaí sin de mhná rialta a scrúdaíos. Bhí seans ann, faoi mar chuir an tAthair Mac Fhir Léinn i gcéill dom, nár bhean rialta chor ar bith í—dá mb'ea, Mrs. Crookshank a bhéarfaí uirthi—ach gnáth-Chataoiliceach a hadhlacadh in aibíd agus gur frítheadh ar ball í nuair a thit an chomhra as a chéile agus an chroich chéasta nó an paidrín ina lámha. B'fhéidir é ach ón eolas a bhí aimsithe agamsa ní raibh sé dealraitheach gur Crookshank Cataoiliceach í chor ar bith agus bhí fonn orm an rud céanna a rá i dtaoibh í bheith ina Mackintosh Chataoilicigh, bíodh nach raibh aon tseoraí faoi cheadúnaisí pósta, etc., don sloinneadh sin feicthe agam.

Duine an-neamhchoitianta amach is amach ab ea an bhean rialta seo, má b'fhíor gach a ndúrathas mar gheall uirthi. Bhí sí neamhchoitianta ina bunadh agus ina sloinneadh, neamhcoitianta sa mhéid gur Chataoiliceach agus bean rialta í in ainneoin a bunaidh agus a sloinnte, agus neamhchoitianta san aois mhóir a bhí aici—111 bliain. Chráigh pointe seo a haoise mé go mór. Ar an gcéad dul síos, ba dochreidte liom ar fad go bhféadfadh an corp sin san uaimh a bheith 111 bliain d'aois an uair a chuaigh an t-anam as. Faoi mar adúras cheana, dhealraigh sé go láidir gur chorp dhuine a cailleadh i mbláth na maitheasa é. Ar an dara dul síos, ba doiligh liom ó thús glacadh leis an bhfigiúir sin 111. Bhí cosúlacht ghreannmhar air ar bhealach eicínt, do cheapas ; an sórt figiúir a chumfadh duine. Chor leis sin, ba aois rímhór an uair úd í : déarfaí gur aois mhór í inniu féin agus maireann daoine i bhfad níos sia anois ná mar a dhéanaidís san 18ú céad. Le linn dom bheith ag gabháil trí chroinicí na nOrd níor thángas ar éinne a bhí i ngar do bheith chomh sean le Miss Crookshank ; ach, aisteach go leor, thángas ar mhnaoi do bhí aon bhliain déag níos sine ná í in irisí clóbhuailte Theampall N. Michen den 17ú aois. Faoin dáta 19 Bealtaine, 1669—17 mbliana sul ar hosclaíodh na luscaí—tá iontráil ar adhlacadh mar leanas.:

> " Kingborough Pipho, widdow, who was reputed to be about 122 years old : under the Counting Table at the East End of ye south Isle in St. Michan's Church."

Cailleadh fear na mná seo, Robert Pipho (nó Phypoe) as St. Mary's Abbey, beagnach 60 bliain roimhe sin .i. i 1609 nó 1610 : caithfidh sé mar sin go raibh bunaois mhaith ag an mbaintrigh nuair a d'éag sise.* Ach do dhearbhaigh Berry, eagarthóir na n-irisí, nach é amháin gurbh aois as cuimse ar fad í an 122 sin ach gurbh í Kingborough Pipho an t-aon duine amháin dar hadhlacadh sa teampall san 17ú aois a bhain an céad féin amach. Ar an ábhar sin tig linn a rá le fírinne go raibh an bhean rialta neamhchoitianta ina haois fiú mura raibh sí ach 111. Ach an raibh sí an méid sin ? Bhíos lándeimhnitheach nach raibh ; ach bhí coinne agam go dtiocfainn ar an bhfírinne i dtaoibh an ní sin agus nithe nach é nuair a bheinn ag iniúchadh cláracha an teampaill den 18ú aois. Fearacht an léitheora, b'fhéidir, bhíos féin dá cheapadh faoi seo go raibh sé in am agam mo shúile a dhíriú ar na cáipéisí sin. Bhíos ag teacht tuirseach de

*Ón mbunadh seo a hainmníodh Phibsborough (Baile Phib), dúthaigh i dtuaisceart chathair Bhaile Átha Cliath.

bheith ag iarraidh tomhaiseanna dem dhéantús féin a réiteach as corp m'aineolais.

27.

Sul ar thugas faoin gcuid deiridh den bhóthar, ámh, b'fhacthas dom gur chóir dom stracfhéachaint eile a thabhairt ar na tagairtí clóbhuailte féachaint an dtiúrfaidís aon bhreis eolais dom i dtaoibh " naofacht " na mná rialta seo. B'é an ghné seo den scéal a mheall mé ar a tóir an chéad uair, an tagairt ag an Madánach ina chéad eagrán de na *Beathaí* (1842) do " dhuine, a raibh cáil naofachta uirthi tráth, dalta de chompántas deabhóideach, gurbh ainm di Crookshank." Má b'fhíor dó, bhíodh na sluaite móra daoine ag triall agus ag tarraing ar a tuamba tráth eicínt idir 1770 agus 1800 mar gheall ar " na héachta a déantaí trí bhithin chorp na dea-mhná " nó gur stop " na húdaráis " iad. Agus faoi mar a d'inseas cúpla uair cheana, thagair an Madánach ins an eagrán céanna do chorp " na mná rialta, Miss Crookshank, a ndearnadh leathchanónú . . . uirthi in aigne na mílte dá comh-chathraitheoirí Cataoiliceacha."

An chéad rud do mheasas do thugas chun cruinnis sna dréachta seo ná go raibh idirdhealú dá dhéanamh ag an Madánach idir na mílte de shaoránaigh Bhaile Átha Cliath agus an Eaglais Chataoiliceach. Pé " leathchanónú " a bhí ar siúl, ba ghluaiseacht i measc an phobail é. Ní raibh focal ag an Madánach a bhéarfadh le tuiscint don léitheoir go raibh lámh, páirt nó dréim ag an eaglais oifigiúil nó dá ndéarainn é, ag corrshagart féin, inti. Na húdaráis a choisc na daoine ó dhul go dtí tuamba na mná rialta a thuilleadh, tharlódh gurbh iad údaráis na hEaglaise iad ar a shon nár fhéadas aon deimhniú air sin fháil. Murarbh ea, ní chreidim go stopfadh na daoine de dhul. Dá dhéine a cuirfí ina gcoinne is ea is mó theastódh uathu an bhean rialta fheiceáil. Insíonn an Madánach san gcéad eagrán dá *Bheathaí* cé an fáth ar cuireadh cosc leo : " meascadh an iomarca spioraid an uisce bheatha," adeir sé, " trí spioraid an ómóis do bhuanna na mná rialta agus loiteadh bunús ' patrúin ' bhreá . . . " Ar ndó, bhíodh i bhfad níos mó ólacháin ar siúl ins na laethanta sin agus anuas go dtí aimsir an Athar Maitiú ná mar atá anois. Bhí uisce beatha saor agus díoltaí ar na sráideanna é faoi mar a díoltar nuachtáin faoi láthair. Gach áit a gcruinníodh daoine bhíodh díoltóirí an uisce bheatha ann rompu. I 1781 " do ceadaíodh ó dhá chéad go dtí trí chéad cábán a thógaint le uisce beatha a dhíol iontu " i bPáirc an Fhionnuisce, áit nach bhfuil rófhada ó Theampall N. Michen, " agus táid fós ina seasamh go réimneach . . . "* Beagnach leithchéad bliain ina dhiaidh sin bhí an scéal chomh dona céanna. Tráthnóna Sathairn agus Domhnaigh bhíodh na sluaite sa bPáirc agus na cábáin ag riar orthu agus dob annamh gan rírá agus achrann idir dhaoine dá dheasca. Thomas Drummond, a bhí ina Fho-Rúnaí d'Éirinn faoin Tiarna Melbourne, a chuir deireadh leis an ngnás seo i bPáirc an Fhionnuisce, agus tá fianaise ann gur fhéach na *Select Vestries* le linn an dara leath den 18ú cead leis an oiread céanna a dhéanamh istigh sa gcathair ach ní rómhaith d'éirigh leo. Bhí póilíní na cathrach gan mhaith agus ba bheag a d'fhéadfadh na *Vestries* a dhéanamh uathu féin. Ba cheist í seo a pléadh go minic ag cruinnithe *Vestry* N. Michen. Ritheadar rúin ó am go ham ag cáineadh na bpóilíní agus ag impí ar an mBardas rud eicínt a

**Illustrations of Irish History and Topography, mainly of the Seventeenth Century*, C. Litton Falkiner, 1904, lch. 69.

dhéanamh chun iad d'fheabhsú. Chuadar i gcomhar le paráistí eile féachaint leis an mheisce a chosc ach níl sé follasach go raibh siad in ann aon ghaisce a dhéanamh, fiú timpeall a dteampaill féin. Chonaiceas cúpla tagairt i leabhra an *Vestry* do rúille búille a tharla i limistéar an teampaill ach níor léir cé ba chionntsiocair leis, meisceoirí ón bparáiste nó lucht socraide. Ar aon chaoi, níor tugadh fios ar bith gur dhaoine a tháinig ag breathnú ar chorp na mná rialta a rinne an mhioscais.

Ach níl aon dabht ná go dtéadh cuid mhaith daoine ag breathnú ar an gcorp agus ag rá a bpaidreacha lena a s. Tá údarás seachas an Madánach leis sin againn. Is mór an trua nár fhéadas iomlán aiste an cheimiceora úd d'aimsiú in ainneoin mo dhian-chuardaigh, arae bhí coinne agam go dtabharfadh sé cuid mhór eolais dúinn faoin ngné seo den fhiosrúchán. Faoi mar atá, níl againn ach " sliocht gearr " (*a brief extract*) as ach an sliocht seo féin tugann sé le fios dúinn go mb'fhéidir nach scríobhfaí an aiste chor ar bith murach gur theastaigh ón gceimiceoir, as a chonlán féin nó ar chomhairle dhaoine eile, deireadh a chur leis an suim a bhí ag daoine dá cur ins an mnaoi rialta.

> " Not many years since," ar seisean, " the high state of preservation of the bodies laid here, gave rise to the idea that some religious persons placed in those dreary abodes had afforded all-powerful protection to their bodies from corruption. But the full growth of science in this age is not to be imposed upon, nor likely to be contented with such a subterfuge, for the explanation of phenomena which were capable of being explained . . . "

Faoi niosacht deich mbliana ina dhiaidh sin (1821) do chlóbhuail Wright " an sliocht gearr " sin as aiste an cheimiceora ina *Historical Guide to the City of Dublin* ach, má rinne, ghabh sé leithscéal lena léitheoirí faoi. " These considerations, however foreign to the object of this work," ar seisean, " may still be allowed a place, if we consider, that at least they may be the means of removing the errors of superstition." An chéad bhliain eile (1822) do foilsíodh *Sketches of the Irish Bar* le W. H. Curran agus bhí tagairt ann, sa gcaibideal faoi luscaí Theampaill N. Michen, don rud céanna :

> " The preserving power of the vaults of St. Michan's was long ascribed by popular superstition to the peculiar holiness of the ground, but modern science has unwrought the miracle by explaining, on chemical principles, the cause of the phenomenon. ' Water is a sore decayer of your whoreson dead body.' The walls and soils of these vaults abound with carbonate of lime, and argillaceous earth ; a compound that absorbs moisture which is necessary to the putrefactive process. In all weathers the place is perfectly free from damp. The consequence is, that animal matter exposed to such an atmosphere, though it undergoes important chemical changes, and soon ceases to be strictly flesh, yet retains, for a length of time, its external proportion."

B'é Caesar Otway, ministir Protastúnach fearacht Wright, an chéad scríbhneoir eile do thagair don scéal seo. Ins an litir a scríobh sé i gcomhair an *Dublin Penny Journal* (1832) faoi ainm cleite, bhí seo le rá aige :

> " Some have fondly supposed that the soul's sanctity and the body's purity while living was the

cause of the comparitive preservation of some of these remains—and the body of a man [*sic*] is shown who died in 1783, at the advanced age of one hundred and eleven ; and also that of a Jesuit, whose spare body, chastened, as it was by his remarkable temperate habits and ascetic life, seems to entitle him to the distinction of decaying slowly and gradually until the great and final day of departing time. Here also is the body of a man who was executed for murder about one hundred and thirty years ago ; and a mother who, actuated by maternal affection, "strong in death," had directed that her baby should rest in her bosom : the innocent infant has long since mouldered away from its mother's cold embrace, and the parent lies without a record or a name."

San aiste faoin teampall a foilsíodh san *Irish Literary Gazette* (1857) dúradh seo :

"The principal object of attraction we have yet to notice—the vaults which possess the wonderful property of preserving bodies for centuries. The reason commonly assigned by the people of the parish is that some religious people were buried here, who would not permit their own bodies to decay, and who afforded a like protection to the rest. But it is hard to say the true reason . . ."

Agus dála an cheimiceora agus Wright níor chuir an ministir Robert Walsh fiacail ann sa nóta faoi na luscaí a chuir sé leis an seanmóir clóbhuailte faoin teampall a d'fhoilsigh sé in 1891. Luann sé "chilly dryness" na luscaí agus ar seisean :

"It is to this dryness that the remarkable antiseptic qualities of the vaults are chiefly due. The earlier idea, suggested by a superstitious veneration for the saintly founder of the Church, was that contact with the same air which surrounded his holy relics preserved all other mortal remains from decay. Science has, however, a more satisfactory explanation."

Bhí sé follasach céard a bhí anseo agam—gné den tseanchoimhlint idir eolaíocht agus geasróga nó b'fhéidir go mba chirte a rá sa gcás seo an meon fuar Protastúnach, mar dhóigh dhe, ag cur in aghaidh geasróga díchéillí na gCataoiliceach. Ach ba chath bréige a bhí dá fhearadh ó nár léir dom gur éiligh na Cataoilicigh chor ar bith an rud a bhí na scríbhneoirí Protastúnacha a chur ina leith .i. gurbh í naofacht chorp áirithe Cataoiliceach ab údar leis an gcor a bhí ar na luscaí fré chéile. I bhfocla eile, gur ríbheag an seans a bheadh ag gnáth-áitreabhaigh Phrotastúnacha na luscaí, gan trácht ar leithéidí an ógánaigh a mharaigh a dheartháir, mura mbeadh an bhean rialta agus na sagairt a bhí ina luí ansiúd in aice leo ! Ní bheadh sé ceart, dar liom, glacadh le ráitis an cheimiceora agus an choda eile acu faoi céard a bhí an pobal Cataoiliceach a cheapadh agus a rá i gcúrsaí den tsórt seo : b'fhearr liom an fhianaise sin a lorg i measc Cataoiliceach agus tugann sin ar ais muid go dtí an Madánach. Ba fear eolaíochta eisean agus ina theannta sin dob é an t-aon Chataoiliceach amháin go bhfios dom a scríobh mar gheall ar na luscaí. Céard dúirt seisean faoin scéal seo ? Ar an gcéad dul síos níor éiligh sé go raibh fáth ósnádúrtha ar bith leis an gcuma "dry and shrivelled" inar fhan cuid de na coirp. Go deimhin is é a mhalairt a chuir sé in iúl nuair adúirt sé alos Miss Crookshank go ndearna an t-aer dochar dá corp faoi mar rinne sé do choirp na Síoras nuair a haistríodh ó lusca go lusca é. Is fíor gur inis sé, gan cur leis ná baint de, go raibh cáil na naofachta ar an mnaoi rialta agus go dtarraingeadh na " wonder-working effects produced by this good lady's remains " na sluaite ollmhóra go dtí a hionad adhlactha, ach ní abrann sé faic a bhéarfadh le tuiscint dúinn gurbh í Miss Crookshank a bhí ag coinneáil oirid sin eile de na coirp gan lobhadh. Chreid an Madánach, faoi mar chreid gach uile dhuine eile dar thug cuairt ar na luscaí, gurbh é an t-aer tirim sa timpeall a bhí dá dhéanamh sin, agus péacu an chloch aoil sa talamh nó iarmhairt coille móire roimhstairiúla, faoi mar ba dhóigh le húdair éagsúla, faoi ndear é, bhí fáth nádúrtha leis, fáth a d'fhéadfadh eolaithe an lae inniu a bhaint amach, táim siúráilte dhe, dá mb'fhiú leo féachaint isteach ann.

Ach chreid an Dochtúir Ó Madáin i míorúiltí ? Ar ndó, chreid, faoi mar chreideas chuile Chataoiliceach agus a lán eile daoine nach iad. Ó chreideann siad gur bithmharthanach cumas agus trócaire Dé ní féidir, dar leo, aon ré de shaol an chinidh daonna a ghearradh amach uathu. Dar leo, tá Dia buil A mhuintir i gcónaí gcónaí agus tá sé chomh cinnte go gcuirfeadh Sé isteach ar chumhachta an nádúir ar a son do réir agus sa mhéid is toil Leis ins na haoiseanna deireannacha seo agus a rinne Sé in aimsir an tsean-Tiomna agus le linn Críost a bheith ar an saol. Dhéanfadh Sé amhlaidh trí eadarghuidhe na Maighdine Muire agus na Naomh uile agus fiú trí eadarascuín daoine naofa nár canónaíodh go fóill. Dá mba toil le Dia é níl aimhreas ar bith ná go n-oibreodh Sé éachta agus míorúiltí san ord corportha agus spioradálta araon trí bhithin pé anamnacha naofa a bhí agus atá i dTeampall N. Michen dá n-iarrtaí sin Air go diongmhálta díograiseach agus go humhal. Ní bheadh an eaglais oifigiúil sásta géilleadh go raibh míorúiltí ag tarlachtaint in aon chás faoi leith gan fiosrúchán cúramach a dhéanamh ar dtús agus ní móide go gcuirfeadh sí an fiosrúchán féin ar siúl gan leorchúis. Tar éis an tsaoil, rud coitianta san Eaglais is ea an naofacht —is ceann dá comharthaí féin í—an aon ionadh mar sin nach dtéann lá tharainn nach gcloisimid faoi mhíorúiltí?

Sul a scaraimid leis an gcaibideal seo ba cheart dom a rá gur neartaigh na focla "Not many years since" i dtosach an ailt sin d'aiste an cheimiceora lem thuairim go raibh na himeachtaí geasrógacha a spreag é, do réir chosúlachta, le scríobh faoi na luscaí ar siúl níos giorra do 1800 ná do 1770. Má b'é 1781 dáta bhás na mná rialta, bheadh na héachtaí ag tarlachtaint ó am eicínt ina dhiaidh sin aniar gur stopadh iad timpeall 1800.

Ag an bpointe seo is ea do tharraingeas suas liostaí de dhátaí éagsúla. Rinneas é seo mar threoir dom féin, agus le go bhfeicfinn an raibh aon ábhair thábhachtacha dá ndearmad agam. Chuireas isteach sa gcéad cheann gach dáta dar bhuail liom ó thosach mo chuid oibre agus tuairisc ghearr ar ar tharla ar gach dáta dhíobh. Chuir fad agus achrannacht an liosta sin iontas agus alltacht orm agus do bheartaíos gan é fhoilsiú ach mar index: níor léirede tuiscint an léitheora ar mo scéal, do mheasas, dá dtugainn anseo isteach é. An liosta deiridh a d'ullmhaíos dob é an ceann ba ghiorra dhíobh, ach b'fhacthas dom nuair a d'fhéachas air gurbh fhéidir gur shimpligh sé an cheist an iomarca agus go mbeadh an ceart ag an léitheoir dá ndéaradh sé go dtugann sé léim rófhada agus ró-obann i dtreo cheann an chúrsa. Ach bheirim anseo é ina dhiaidh sin :

1727 D'éag Father Thomas Tasborough, C.Í.

1750 (*circa*) D'éag an Mháthair Agnes Bellew, Carmelíteach.

1781 D'éag agus do hadhlacadh duine—fear nó bean —a bhí 111 bliain d'aois.

1781-1800 Suim ag an bpobal i mnaoi rialta.

1783 D'éag Father John Fullam, C.Í.

Do nocht an tábla beag seo rud a bhí ag teacht chun léargais le tamall, is é sin go gcaithfeadh an tréimhse ó 1780 go dtí 1800 a bheith ina pointe láir im chuardach i measc cláracha láimhscríofa an teampaill, agus ina dhiaidh sin an tréimhse idir 1725, abair, agus 1750. Na bliana go díreach i ndiaidh 1780 ba dhealrathaí. An dara rud do mheabhraigh sé dhom a mhéid a bhí Íosánaigh sa bpictiúir. Maidir le Agnes Bellew, chuireas í sin isteach i ngach liosta dar tharraingeas suas agus bhí leisce orm í fhágáil as an gceann seo, dá ghiorracht é, bíodh is nach raibh aon choinne agam go bhféadfainn éinní a dhéanamh léi.

28.

Bhí go maith is ní raibh go holc. Tharraingeas an telefón chugam agus do ghlaos ar reachtaire nua an teampaill. Ó tharla m'aigne socair ar na tréimshí ar ghá iad a ghrinnbhreithniú bhí orm tabhairt faoi na cláracha sin. Ach eadrainn féin, rinne mé dearmad agus glaoch an lá sin ar an reachtaire : bhí an fear bocht sa leabaidh leis an bhflú agus sílim gurbh éigean dó éirí chun teacht ag caint liom. Ní raibh aithne ná eolas aige ormsa agus caithfidh sé gur chuir mé idir ruibh agus scanradh air nuair a labhras go neamhbhalbh ar an telefón, faoi is dá mb'é an rud ab fhusa a shocrú ar domhan é, faoi chroinicí an teampaill a iniúchadh chun teacht ar eolas i dtaoibh mná rialta eicínt—ní mé an raibh a fhios ag an bhfear bocht céard a bhí i gceist agam —agus, rud ba mhí-dhiscréidí fós, faoi *pathologist* a thabhairt liom síos sna luscaí liom chun a thuairim seisean d'fháil ar aois agus inscne chuid de na coirp. Thuigeas go tapaidh óna thuin cainte nach raibh aon rófháilte ag an reachtaire roimh an smaoineamh seo agus nuair adúras go loirgeoinn, ar ndó, pé cead ba ghá ón Aire Dlí agus Cirt mhothaíos go tapaidh nár rud ródhiscréideach ach an oiread é sin a rá—agus ar an telefón—in agallamh le fear nach raibh faice eolais aige orm agus a bhí ag creathadh le fuacht agus flú ag an gceann eile den líne. Le scéal fada a dhéanamh gearr, ní bhfuaireas cead dul i mbun na hoibre go ceann roinnt sheachtainí agus ansin féin b'éigean dom Seanadóir Protastúnach a bhfuil aithne agam air d'fháil le labhairt ar mo shon agus mo scéal a mhíniú.

Na seachtainí sin go rabhas ag fuireach le scéala ón reachtaire bhíos ar cipíní. Breathnaigh an cás. Bhí gach nóiméad a d'fhéadas a spáráil le dhá bhliain déag caite agam leis an ngnó seo. Bhí gach poll agus póirse cuardaithe agam, leabhra agus páipéirí as éadan léite agam agus, ina theannta sin, níl a fhios agam cé mhéid duine a chrás ag ríomh an scéil dhóibh le súil go bhféadfaidís cabhrú liom. Agus anois nuair a bhí trí chéad bliain cúngaithe agam de bharr mo shaothair i dtreo is gur mheasas nach raibh le déanamh agam ach mo mhéar a leagadh ar an toradh a bhí uaim b'sheo constaic gan coinne, constaic gan ciall, mar do mheasas, dá cur romham. Ach faoi dheireadh is faoi dheoigh, mar adúras, labhair an reachtaire go fáilí liom maidin amháin ar an telefón. Bhí na geataí fosclaithe romham. Bhí na múrtha leagtha. " Tar lá ar bith is maith leat," ar sé. " Déanfad gach réiteach i do choinne leis an gCléireach." Lá ar bith ba mhian liom, an ea ? Thiocfainn an lá beannaithe sin féin.

Agus ansin, faoi mar dhéanfadh flaisc tintrí as na flaithis é, do criogadh agus do milleadh mo phleananna go léir léir. Bhíos istigh sa *Vestry* i láthair an chléirigh óig mheabhraigh sin ar labhair mé cheana air. " Cérbh iad na croinicí a bhí ag teastáil uaim ? " Dúras sin leis—Cláracha na nAdhlactha, na mBaistíocha agus na bPóstaíocha ó 1700 anall. Thosnóinn le Cláracha na nAdhlactha timpeall 1780 : b'iad sin ba thábhachtaí agus ba phráinní. Na focla a labhair sé ansin ba saghad tríd an gcroí agam iad ach labhair sé iad gan athrú dá laghad do theacht ar a ghlór. " Ó, iad sin—do scriosadh iad sin go léir nuair a chuaigh Oifig na nAnnálacha Poiblí in aer i 1922."

A Dhia na Glóire, arbh fhéidir é ?

" Níl éinní tar éis 1700 againn, ach na *Vestry Books*—miontuairiscí cruinnithe tráthrialta an *Vestry*. Dúirt duine eicínt le húdaráis an teampaill gur chóir na cláracha a chur anonn go dtí Oifig na nAnnálacha ansiúd thall le go mbeidís ar láimh shábhála, agus sin é tharla dhóibh. Chuadar suas leis an Oifig," agus chas sé a ordóg chun go dtuigfinn cad é an treo é " suas."

D'fhéadfá mé leagadh le tráithnín an nóiméad sin. B'iomaí uair a baineadh siar asam i gcaitheamh an fhiosrúcháin ach ba mheasa é seo ná na buillí eile go léir. Chonaic mé ar an bpointe nach bhféadfainn mistéir na mná rialta a fhuascailt anois i gcaoi a bheadh sásúil dom féin agus dom léitheoirí. Gan cabhair ó na cláracha sin ní bheadh i mo dhícheall ach buille faoi thuairim. D'fhéadfainn seo agus siúd a chur i gcomórtas, an béaloideas agus tuairiscí na gcuairteoirí, ach dá fheabhas mo réasúnaíocht agus dá chlisteacht mo bhreithiúnas ní shásóidís duine ar bith, fiú mé féin, sa gcaoi go sásódh iontráil amháin i gClár na nAdhlactha dá dheimhniú gur ar an lá áirithe seo do cuireadh in uaimh na momach bean as X darbh ainm Crookshank nó Mackintosh nó rud eicínt eile, agus ar laethanta áirithe eile Íosánaigh nó "Sagairt Chataoiliceaca Romhánacha" as áit eicínt eile darbh ainm Y agus Z. Agus an leid a raibh dóchas agam a fháil ann faoin mnaoi (nó an fear) a raibh 111 bliain d'aois aici nuair a fuair sí bás bheadh sé níb fhearr ná na tagairtí éagsúla uile a bhí faighte agam i scríbhinní na gcuairteoirí.

Bhí mo mhac im fharra an lá brónach sin. D'fhéachamar ar a chéile nuair a chualamar na focla uamhnacha sin ón gCléireach ach níor labhair ceachtar againn smid go ceann tamaill. Níor fhéadamar é. Bhí seisean bánghnéitheach. Níl a fhios agam cé an chaoi ar fhéach mise, ach mhothaíos faoi mar a mhothóinn dá ndeirtí liom san oifig, lá eicínt, go raibh mo phost imithe, go gcaithfinn slí nua mhaireachtála a thóraíocht tar éis mo bhliana fada sa Stát-Sheirbhís. Bhíos ar nós báid gan ancaire. Agus b'é donas an scéil é nach raibh aon duine faoi leith ar m'aitheantas go bhféadfainn milleán an ghnímh a chur air. An t-ainciseoir a scaoil an pléascán a shiab Oifig na nAnnálacha Poiblí, bhí dea-rún aige, ní foláir: chreid sé ina chroí go raibh buille dá bhualadh aige ar son na hÉireann, agus go molfaí ar ball é as a ucht. Ní bheadh a fhios ag ainciseoir bocht aineolach mar é gurbh éard a bhí sé a dhéanamh ag milleadh an eolais bhunaidh a bhí riachtanach le stair na hÉireann a inseacht. In éagmais na gcáipéisí sin go léir ó cheithre arda na hÉireann ní bheadh a fhios ag fear an phléascáin agus na mílte eile daoine mar é a bhí i ngrá le Caitlín Ní hUallacháin cé an sórt bean í, cé na comharthaí sóirt a bhí aici. Tá fráma an phictiúra acu ach d'imigh an canbhás san aer ina dheatach leis na milliúin de phíosaí beaga eolais fearacht an eolais a bhí ag teastáil le haghaidh an chaibidil deiridh dem leabharsa.

" Ó, is mór an chailliúint dúinn anseo é," arsa an Cléireach. " Is bocht an scéal é go gcaithimid a rá leis na daoine a thagas nó a scríobhas ag iarraidh faisnéise faoina sinsir nach bhfuil Leabhra na mBaistíocha, na bPóstaíocha, agus na nAdhlactha le fáil níos mó. Amantaí bíonn cuid mhaith ag brath ar fhaisnéis den tsórt sin." Bhreathnaigh sé ó dhuine go duine orainn. " Sea . . . céard a dhéanfas sibh anois ? "

D'iarras air na *Vestry Books* don 18ú céad a thabhairt chugainn : níor scar an teampall leosan, ar ádhmharaí an tsaoil : agus chaitheas féin agus mo mhac tráthnóna fada ag gabháil tríothu. Bhíodar suimiúil agus d'fhoghlaimíomar a lán astu faoi stair na haimsire sin agus faoin bpáirt mhóir a bhí ag an *Vestry* i saol Bhaile Átha Cliath mar chuid de ghléasra áitiúil na cathrach. Ach oiread agus focal ní fhacamar iontu faoin mnaoi rialta nó an chuid eile de na daoine a raibh spéis againn iontu. Má labhartaí ag cruinnithe an *Vestry* ar na pápairí a hadhlactaí ó am go ham thíos fúthu agus ar na sluaite a thagadh ag breathnú ar chuid acu agus dá nguidhe, choinnigh siad acu féin é agus bhí riail daingean acu, déarfainn, gan faic a rá fúthu ins na miontuairiscí.

Bhí seomra an *Vestry* fuar, an-fhuar, i gcás go raibh Cóilín agus mé féin strompaithe faoin am go rabhmar réidh leis na leabhra móra seanda. D'fhágamar slán ag an gCléireach tar éis comhrá beag a dhéanamh leis faoi chuid de na fadhbanna a bhaineas leis na luscaí, agus thugamar an bóthar abhaile orainn féin gan gíocs ná míocs asainn. Ach do réir mar tháinig an fhuil ar ais inár gcuisleacha de bharr na siúlóide chonaiceamar araon nárbh aon mhaith an dubhrón, nárbh éinní in aon chor ár mbris ar ghualainn a raibh staraithe ceardúla a fhulang gach lá sa tseachtain mar gheall ar bhunchroinicí sheanchais an náisiúin a bheith scriosta go deo na ndeor. Bhíomar ag gáirí faoin am gur shroicheamar an baile.

Baineadh siar asam arís nuair a bhuaileas fúm ag ceann de na boird fhada i leabharlainn álainn ársa Choláiste na Tríonóide ag léamh na láimhscríbhinne F4, 14, a thug giolla lách i gculaith ornáidigh chugam. Luann Berry an láimhscríbhinn seo ina réamhrá dá leabhar ar irisí an teampaill agus nuair a tháinig sin chun mo chuimhne d'éirigh an croí ionam óir shíl mé go mb'fhéidir go líonfadh sí an bhearna i gcroinicí na 18ú aoise. Ní dhearna. Tá a lán eolais inti faoi imeachtaí Proinsiascánach agus Doiminiceánach go mbainfeadh staraithe eaglaise taitneamh astu agus liostaí ainmneacha nach léir anois a mbrí, ach faic cabhrach níor thugadar domsa. Tháinig lagspioraidí athuair orm. Bhí sé folasach go gcaithfí caibideal deiridh mo leabhair a scríobh gan irisí d'aon tsaghas don 18ú céad. B'shin an méid. Ba mhór an trua é, ach an rud nach raibh neart air foighid an leigheas ab fhearr air.

29.

Bhí mo chuid oibre i ndáil a bheith críochnaithe ach sul a bhféadfainn na fíora a shuimiú agus breith a thabhairt orthu bhí cúpla pointe fós le dhul ina mbun : (*a*) na hÍosánnaigh úd, cuir i gcás, bhí focailín breise a raibh tábhacht ann le rá fúthusan, do mheasas, agus (*b*) in ainneoin go raibh irisí an teampaill tar éis cinnt orm chaithfinn tuairim eolaí fháil ar na marbháin féin. Tar éis an tsaoil, ba ghreannmhar an staraí mé agus a rá nach raibh inscne na gcorp dearfa fós agam agus mé ag tarraing ar dheireadh an fhiosrúcháin.

Do léas timpeall an ama seo leabhar gur tharraingeas eolas fánach as cheana, sé sin *Jesuits in Dublin* le William J. Battersby (1854) agus an leabhar ba siocair lena scríobh, dar liom, *Collections towards illustrating the biography of the Scotch, English and Irish Members of the Society of Jesus* le George Oliver (1838). Chuir na bearnaí a thug sé faoi deara in irisí na nÍosánach a d'oibrigh in Éirinn buairt mhór ar Oliver : b'éigean dó a admháil arís agus arís eile nach raibh a fhios aige beirthe ná beo céard do bhain do shagairt den Chumann ar dhul ag obair dhóibh in Éirinn agus chiallaigh sin paráiste N. Michen i mBaile Átha Cliath, óir ón 17ú céad go dtí an 19ú céad ba é sin an fíonghort ba mhó inar oibríodar, fiú le linn na mbliana go raibh an Cumann faoi choinnealbháitheadh ag an bPápa. Ní raibh a fhios ag Oliver ach chomh beag cé an uair nó cé an áit ar éag cuid mhaith de na fir iontacha seo ná cár cuireadh iad ; ach spreag Oliver Battersby chun cuid de na bearnaí seo a dhúnadh agus ba chóir dúinn bheith buíoch de ar a shon. Ní heol dom cá bhfuair Battersby an t-eolas breise sin a bhí in easnamh ar Oliver. Is dócha gur chuardaigh sé dóigh is andóigh agus go bhfuair sé páipéirí nach bhfuil fáil orthu inniu. Bhí cláracha N. Michen den 18ú aois aige, mar shampla, agus luaim é sin anseo mar gheall ar roinnt tagairtí an-tábhachtacha atá aige do luscaí an teampaill. Ag caint ar Father Joseph O'Halloran (1726-1800), cuir i gcás, deir Battersby gur cailleadh i bparáiste N. Michen é i Mí na Samhna, 1800, agus "was interred in the vaults of St. Michan's Church, where repose the ashes of several of his religious brothers." Fear an-léannta ab ea é seo agus is é a luaitear ag leathanaigh 79-80, Imleabhar a hAon, de *Travels of an Irish Gentleman in search of Religion* do scríobh Thomas Moore, an file. Íosánach ba thábhachtúla go mór ná eisean ab ea Dr. Thomas Betagh. Rugadh eisean i 1738 agus d'éag sé in 1811. Do réir Battersby hadhlacadh é "in the Jesuits' vault in old St. Michan's, Church St." ach in 1822 tugadh a chorp as an áit sin agus do leagadh faoin ardaltóir ina shéipéal féin é .i. séipéal Naomh Mhichíl is Eoin, ar an taoibh eile de na céibheanna, gar do dhroichead Sráid Céipil. Agus siúd is go bhfuil tagairt ghreannmhar aige don tamall a thug Father Peter Kenny (1779-1841) ag obair "in the chapel of St. Michan, the ancient residence of the society" is cinnte gurb iad na luscaí a bhfuil aird againne orthu a bhí i gceist ag Battersby nuair adúirt sé :

> "The chapel of St. Michan . . . whose vaults had usually received the remains of the fathers who departed this life in Dublin. The remains of many other persons are interred in the vaults and cemetery in Church Street, as Emmet, Bond, the Sheares, etc."

Agus sa nóta a chuir sé i dtoll a chéile faoi Father Thomas Tasborough a bhfaca mé méar leis ag Siúracha na Toirbhirte ar Chnoc Sheoirse deir sé gur bhásaigh an sagart naofa seo ar an 6ú lá d'Iúl, 1727, in aois a 54, i bparáiste N. Michen "and was there interred in the priests' vaults."

Cé thógfas orm a léamh as na tagairtí sin ag Battersby go raibh sé cinnte go raibh lusca dá gcuid féin ag na hÍosánaigh i dTeampall N. Michen idir 1727, agus b'fhéidir ó am eicínt roimhe, agus 1822? Agus b'í uaimh í sin, im bharúil, uaimh na momach, an uaimh ina bhfaca an ceimiceoir in 1811 bean rialta agus beirt shagart agus ina bhfaca daoine eile agus ina bhfeicimidne inniu duine de bhreis, sin ceathrar ar fad. Bhí reilig ag na Cataoilicigh i nGlas Naoidhean agus caoi adhlactha i mórán eaglais dá gcuid féin acu go gearr tar éis 1822. Nílim dá rá gur cheannaigh na hÍosánaigh amach an uaimh sin: ní móide go bhféadfaidís é sin a dhéanamh. Ach bhí a ndóthain ama acu—isteach is amach le céad bliain—agus fáth acu leis an uaimh a chur in áirithe dá mairbh féin amháin. Ar éirigh leo sin a dhéanamh? Ba dhóigh leat ar bhealach amháin gur éirigh sa mhéid nach follas ó na marbháin in aimsir an cheimiceora go raibh níos mó ná aon stróinséir amháin ina measc agus ó cheap na húdaráis Phrotastúnacha gur Chataoiliceach agus bean rialta í sin, b'fhéidir go bhfuil fáth ann lena cheapadh nár stróinséir ar fad ar fad í. Ach bhí na marbháin seo ar taispeáint in 1811 faid a bhí Íosánaigh dá gcur go fóill san uaimh. An dócha go gceadódh na hÍosánaigh é sin dá mbeadh ar a gcumas é stop?

Ceithre coirp agus an bhean rialta ina duine acu atá san uaimh sin le fada an lá, agus chomh fada lem eolas níor tugadh ariamh chun siúil as ach í sin. Bhí sí ar shiúl, mar is eol dúinn, le mórán de bhliana ach tugadh ar ais í timpeall 1888. Tá sé réasúnta mar sin a chreidiúint gur Íosánaigh beirt de na coirp eile: sin é dúirt an ceimiceoir in 1811. Tig linne an oiread céanna a rá gan fuacht gan faitíos i 1951. Cé hé an ceathrú corp? Íosánach eile, is dócha, ach ní féidir a bheith róchinnte dhe sin. Tá baol ann i gcónaí gurb é an coirpeach úd a mharaigh a dheartháir nó an bhean a cailleadh ag breith páiste.

Más iontaofa, dar leis an léitheoir, an réasúnaíocht sin, sílim go bhfuil seans maith ann gurb é an Father John Fullam sin a luamar cheana duine de na hÍosánaigh. I mBaile Átha Cliath a rugadh eisean an 23 Márta, 1719. Ghabh sé isteach sa gCumann i bProibhinse Lyons sa bhFrainc an 23 Mí na Nollag, 1735—ní raibh sé an uair sin ach 16 bliana d'aois—agus d'fhill sé go hÉirinn i 1749. Ar an 2 Feabhra, 1754, " ghlac sé leis na ceithre móidí." Ar feadh dachad bliain d'oibrigh sé i mBaile Átha Cliath—i bparáiste N. Michen, is dóigh. Bhí cion an tsaoil aige ar thriúr fathach Íosánach na linne úd—Fathers Austin, Betagh agus Mulcaile. D'éag sé, mar adúras cheana, ar an 7 Lúnasa, 1783, nó go luath i 1784. Tugann Oliver agus Battersby araon sliocht as litir a scríobh Father Peter Plunkett áirithe ar an 14 Iúil, 1784, ina ndúirt sé :

> " Bíodh go raibh coinne agam leis an mbuille marfach, de bharr litre ó Bhaile Átha Cliath a bhí agam . . . níor bheag é mo bhrón, ní nach ionadh, ar chailleadh duine a raibh seanaithne agam air i mBaile Átha Cliath, duine a raibh grá agus urraim mhór agam dó, agus duine a raibh seisean agus mise ag scríobh chun a chéile leis an fiche bliain atá caite. Tá dóchas as Dia agam go bhfuil an cúiteamh le fáil anois aige is dual dá dheabhóid neamhghnáthaigh, dá cheangal láidir lenár nEaglais Naofa Cataoilicigh agus don ghrá agus an phráinn gan staonadh a bhí aige as an gCumann sin Íosa is tuismitheoir don bheirt againn."

De bharr saothair Oliver agus Battersby tá a fhios

againn ainmneacha chuid eile de na hÍosánaigh a fuair bás i mBaile Átha Cliath idir 1760 agus 1820 agus do hadhlacadh, is dóigh, san uaimh sin. Bheirim anseo iad maille le dátaí a mbáis agus a n-aoiseanna áit ar bith a bhfuil na seoraí sin ar fáil, arae tá chuile sheans go bhfuil duine nó beirt acu i measc na marbhán :

Father Clement Kelly—d'éag 1752 ;

Father Edward Doran—d'éag 17 Aibreán, 1758—aois 42 ;

Father John Ward—d'éag 12 Deireadh Fómhair, 1775—aois 70 ;

Father Laurence Croke ;

Father Joseph Moroney—d'éag timpeall 1796 ;

Father Christopher Glennon—d'éag tar éis 1785—níos mó ná 74 bliana d'aois ; agus

Father Joseph O'Halloran—d'éag Samhain, 1800—aois 74.

Dúirt ár seanchara, an ceimiceoir cúthail, go raibh an bheirt shagart a fuair sé san uaimh timpeall 50 bliain adhlactha ann. Má chomhairímid 50 siar ó 1811, 1813, agus 1827—trí dhátaí atá againn d'aiste an cheimiceora—gheibhimid sinn féin sa tréimhse inar cailleadh Father Edward Doran agus Father John Ward.

Íosánach eile a luamar a bhí san uaimh sin ab ea Father Thomas Tasborough nó Tasburgh. Sasanach a bhí ann, mar mhíníos cheana, agus is i liosta na nÍosánach Sasanach atá sé ag Oliver. Chuir Battersby isteach i measc na "Dublin Jesuits" é, nádúrtha go leor, mar ba é Baile Átha Cliath ceann de na háiteacha inar oibrigh sé go cumasach, is ann a fuair sé bás, agus is ann a tharla na "míorúiltí" a tugtar suas dó. Rugadh Father Tasborough, mac le John Tasborough, Esquire, as Bodney, Norfolk, i 1673, ghabh sé leis an gCumann an 7ú lá de Mhí Mheán Fómhair, 1694, do rinneadh "spiritual coadjutor" de an 21 Márta, 1704, agus bhí sé ag obair ar an misiún i Londain ar feadh tamaill. Bhí sé ceangailte ar feadh na mbliana le paráiste N. Michen agus cailleadh ansin é an 6 Iúil, 1727, in aois a 54, agus "do hadhlacadh ansin é in uaimh na sagart." Seo é adeir Battersby i dtaoibh ar tharla i ndiaidh a bháis :

> "Tá an-chuid daoine ar aon aigne, bíodh is nár cruthaíodh ariamh i gcúirt eaglaise é, gur tharla leigheasanna míorúilteacha go minic trí bhithin a thaisí. Deir J. P. Doyle, deartháir an Dochtúra Oirmhidnigh Doyle, sagart paráiste N. Michen, nach maireann, go raibh cumhacht mhíorúilteach taisí Father Tasborough chomh léir sin go bhfuair an tAthair iomráiteach Callaghan, a dtráchtfad ar ball air—bhí sé an uair sin ina chónaí leis na Doyles i Sráid an Teampaill, an áit a raibh duine de na deirfiúracha buailte suas le bliana le galra ar an gcnámh droma nárbh fhéidir a leigheas—go bhfuair sé méar leis an sagart maith, do chuir leis na cnámha galraithe í, agus do leigheasadh ar an toirt iad. Tá an taise naofa ariamh ó shoin i seilbh shagart nó ban rialta de chomhluadar sin na Doyles. I litir ón Déan Ró-Oirmhidneach Meyler, sagart paráiste N. Aindriú i láthair na huaire, a fhoilsíos Dr. Oliver tá seo ann :

An t-8ú Meitheamh, 1832,
79 Sráid Mhaolbhríde,
Baile Átha Cliath.

'Do rinneadh mórán míorúiltí ag tuamba an tsagairt seo agus ar an ábhar sin thug na daoine chun siúil leo a chorp go léir beagnach. Tá méar a bhaineas leis an bhfear an-naofa seo i seilbh dhuine de shagairt Bhaile Átha Cliath ag an am seo féin, agus tarlaíonn mórán leigheasanna iontacha go tapaidh de bharr í leagadh ar dhaoine breoite. Tá cuid de na leigheasanna sin ar eolas agam féin.' "

Luaitear in Annála Phroibhinse Shasana de Chumann Íosa do chuir Henry Foley, C.T., in eagar dhá leigheas do bharr an mhéar d'úsáid, deirfiúr Father Richard O'Callaghan, C.Í. agus "Dr. Cahill clúmhail" eicínt. Seo é an nóta atá ag Foley agus is cosúil gur ón Athair Éamonn Ó hÓgáin, C.Í., eagarthóir an *Onamasticon Gadelicum*, a fuair sé é:

" Do bhailigh an tEasbog de Bláca ó Dhrom Óir . . . an-chuid cásanna inar leighiseadh daoine le taisí Father Tasborough agus bhí ar intinn aige tráchtas a fhoilsiú mar gheall orthu. Bhí an liaigh Ó Raghallaigh le cos an Dochtúra clúmhala Cahill a bhaint de: leag sé méar Father Tasborough ar a chois, agus do chuir na leagha as a ndóchas."

Is leor litir Déan Meyler lena chruthú nach é Father Tasborough ceann de na coirp in " uaimh na momach," nó in " uaimh na nÍosánach " mar ba chirte a thabhairt ar an áit feasta. Tá a fhios againn ón litir go mbíodh na sluaite ag teacht tráth go dtí an uaimh lena n-ómós a thaispeáint dá chorp agus go rabhdar chomh cinnte dá naofacht gur thugadar leo é ina mhionphíosaí faoi mar rinne an pobal i mórán tíortha ariamh le coirp agus giúirléidí na naomh. Caithfidh mé a rá gurbh é seo an giota eolais is mó a chuir anbháitheadh orm dar aimsíos le linn na taighde go léir. Chonaiceas gan mhoill an chosúlacht a bhí idir é agus scéal an Mhadánaigh i dtaoibh Miss Crookshank: go deimhin bhí an dá scéal chomh cosúil sin lena chéile nach raibh le déanamh agam ach Father Tasborough a chur in ionad Miss Crookshank, sagart in ionad bean rialta agus mar sin de, agus dhéanfadh ráitis an Mhadánaigh ciall. Bhí scéal an Íosánaigh agus scéal na mná rialta chomh cosúil sin go rabhas ullamh lena chreidiúint gur fíodh ina chéile ar bhealach eicínt iad timpeall an ama a raibh an Madánach ag scríobh an chéad tsreath sin de Bheathaí na nÉireannach nAontaithe, muran ina aigne féin a d'fhígh sé le chéile iad.

Mar seo a tuigeadh dom é : cuireadh Father Tasborough sa teampall i 1727. Faoi 1760 nó 1770 bhí an chomhra titithe as a chéile agus caoi ag na daoine a chorp fheiceáil. Idir an am sin agus deireadh an chéid bhí na sluaite dá onórú agus ag tógáil taisí leo. I 1781 tugadh an bhean rialta isteach sna luscaí. Faoi 1811 bhí sí in uaimh na nÍosánach—péacu bhí sí ann ó 1781 nó nach raibh ní móide go bhfaighfear amach go brách—agus ghreamaigh dhi ann, ar bhealach dothuigthe eicínt, an gnáthoideas faoi Father Tasborough. Tá seans go raibh na luscaí dúnta don phoiblíocht ar feadh tamaill de bhliana, mar gheall, b'fhéidir, ar an " bpatrún," nó na " disorders " más áil leat, a dtagrann an Madánach dhó, agus nuair a hosclaíodh arís iad ba í an bhean rialta a bhí dá moladh in ionad an tsagairt mar gheall ar a naofacht sise agus a míorúiltí. Ach dar liom go bhfuil míniú níos simplí fós ná sin ann—is é sin, go bhfuair an Madánach an ceann tuathail den scéal ar chuma eicínt—go ndearna sé praiseach de, i bhfocla eile,—agus gur thug sé an cháil seo do Miss Crookshank faoi naofacht agus míorúiltí agus eile ba le duine eile ar fad. Níor ghlac an pobal leis an gcáil sin, ámh. Níl pioc dá chomhartha sin le fáil in aon bhall inniu. Go deimhin ba dhóigh leat nár scríobhadh tagairtí an Mhadánaigh agus Powell ariamh arae aird dá laghad níor tugadh orthu, creidim, go dtí seo. Ach maireann méar Father Tasborough i gcónaí i seilbh Shiúracha na Toirbhirte ar Chnoc Sheoirse agus go dtí le déanaí ba bheo fós i measc na ngnáthdhaoine sa gceantar sin cáil an té ar leis í.

Miss Crookshank bhocht! Dá shia a chuamar ab ea ba lú a bhíomar ag fágáil dá clú aici. (D'fhéadfaimis an rud céanna a rá i dtaoibh an Mhadánaigh). Níor bhean rialta í. Níor naomh í ná leathnaomh féin. Níor chreideamar go raibh sí baol ar bheith chomh sean agus adúirt cuid de na fir a thug tuairisc uirthi. Ní rabhmar cinnte fiú amháin gur Chrookshank a hainm ceart. Cérbh í mar sin í? Cé hí an bhean scafánta seo atá le 170 bliain sna luscaí agus í an chuid is faide den achar sin i bhfochair gasra d'Íosánaigh. "Ná habair," airím na léitheoirí dá rá, "ná habair, a údair dhílis, nach bhfuil a fhios agat."

30.

Ag an am seo go díreach d'éirigh liom lá a shocrú leis an Dochtúir X go dtiúrfaimis réamhchuairt in éindigh mar ghnáthchuairteoirí ar na momaigh. Deirim "réamhchuairt" arae bhí faitíos orainn go mbeadh doicheall ag údaráis an teampaill ligint dúinn scrúdú iomlán ealaíonta a dhéanamh ar na coirp gan iarratas foirmiúil uaimse do scrúdú go mion ar dtús agus chuirfeadh sin moill mhór lem leabhar agus bhí mé sách tuirseach dhe cheana féin. Ní miste liom a admháil go raibh mé chomh haineolach sin i dtaoibh na gcúrsaí seo gur shíl mé go bhféadfadh an Dochtúir, gan ach stracfhéachaint a thabhairt, dhá cheann de mo cheisteanna a fhreagairt go sásúil—(1) inscne na gceithre coirp fá seach agus (2) a n-aoiseanna ag uair a mbáis. Thuigeas go mbeadh sé i bhfad Éireann ní ba dheacra a rá cé an fhad, isteach is amach, a bhí na corpáin marbh: caithfí staidéar fada cúramach a dhéanamh ar dtús, do mheasas, ar an moilliú ar lobhadh na gcorpán a tharlaíos sna luscaí sul a dtiúrfaí breith air sin. Ach an lobhadh a tharla go nuige seo is measa é ná mar do shílfeá. Chonaic an léitheoir cheana na focla molta a scríobh na húdair éagsúla a thug tuairisc ar staid na gcorp mar a chonaic siad iad sa gcéad leath den 19ú aois. Dá réir sin bhíodar " in a wonderful state of preservation " agus mar sin de, agus tuigim ó na focla sin nach raibh deacracht ar bith san am úd rud simplí, shílfeá, mar inscne na gcorp a cheapadh. Faraor deacrach ní mar sin dóibh anois. Scéal iontach é, gan dabht, go bhfuil aon chuid díobh ann chor ar bith tar éis breis agus 170 bliain ach ní féidir a shéanadh go bhfuil an lobhadh ar siúl i gcónaí agus go bhfuil cuid de na coirp inniu i bhfad ó bheith go hiontach. An bhean rialta—leanaim de ghlaoch bean rialta uirthi ceal teideal níos cruinne a bheith agam di—an ceann is fearr díobh in ainneoin na seafóide seo i dtaoibh a mór-aoise. Tá níos mó ná dhá dtrian den duine ar a deis imithe ar fad: níl mórán de chosa cáiliúla an Chrosáidí taobh thiar di fágtha agus easnaimh eile air chomh maith: agus maidir leis an gcorp ar a láimh clí, d'fhéadfá a rá gur cnámharlach é cés moite dá aghaidh is dá lámha. Tríd agus tríd is bocht an radharc anois iad agus nílim cinnte im aigne in aon chor gur fiú nó gur ceart leanúint dá dtaispeáint don phobal.

Ba suimiúil liom bheith ag faire an Dochtúir X le linn é bheith ag cur na súl ngéar sin aige tríd na coirp dearóile agus le linn deirfiúr an Chléirigh a bheith ag tabhairt an ghnáthchuntais dhúinn orthu. Fear é an Dochtúir go dtugann a ghnó timpeall na tíre cuid mhaith é agus tá an-chleachtadh aige ar dhaoine agus ar áiteacha ach ní minic a bhíos aon ghreann ag baint lena chuid oibre faoi mar a bhí leis an gcúram seo a leag mise air. B'shiod é ag iarraidh a aigne a dhéanamh suas i dtaoibh ciacu fir nó mná na ceithre marbháin roimhe agus cad dob aois dóibh agus ag an am céanna bhí an bollscaire ag inseacht dó, amhail is nach raibh aon amhras mar gheall air, gur Crosáidí an corp seo faoina láimh agus " é ocht gcéad bliain anseo " agus " an corp sin i lár baill, deirtear gur bean rialta é sin." Níor tháinig faoilte an gháirí ar bhéal an dochtúra : shílfeá air nach raibh sé ag éisteacht chor ar bith. Níor chorraigh sé go dtáinig an Cléireach féin isteach ag déanamh uanaíochta ar a dheirfiúr. Shíl mé go raibh an greann imithe sách fada : mar sin, chuir mé an dochtúir in aithne dhó. Fhad is bhíomar ag caint istigh san uaimh bhig—ar éigin a bhí spás don triúr againn ann—nocht duine de Choimeádaithe na hEaglaise sa doras. Chuaigh mé amach ar mo chromada go dtí é, agus d'fhág mé an bheirt eile ag comhrá. Bhí a lámha ag an gCoimeádaí sáite isteach i bpóca a chóta móir aige. " Uirthisin atá an chuma is fearr," ar seisean, " an bhean rialta atá mé a rá." Ba ráiteas é sin go n-aontódh tuathach ar bith leis ach nuair a shiúil an Dochtúir siar sa reilig liom ar ball níor aontaigh sé leis ar fad. Ní raibh aimhreas ar bith air ná gurbh é an corp latharnach sin ab fhearr ó thaoibh caoi agus cuma ach ní fhéadfadh sé a rá le cinnteacht, gan mionscrúdú a dhéanamh le gléas X-rithne, gur chorp mná é chor ar bith. " Go deimhin duit," ar seisean liom, " táim dá cheapadh gur fear é. Ach tig liom rud amháin a inseacht duit, gan baol mo bhréagnuithe, agus is é sin, nach raibh an té sin 111 bliain d'aois nuair a cailleadh é. Bhéarfainn deich in aghaidh a haon duit gur fear an corp sin ach bhéarfainn míle in aghaidh a haon duit ar scór na haoise—ní hea, ní chuirfinn geall ar bith leat faoi sin : ní bheadh ann ach gadaíocht."

Níor chuir caint seo an Dochtúra blas iontais orm ná blas as dom : *aetheo* é a raibh coinne agam leis ón uair a tuigeadh dom nach bhféadfadh an corp i lár báire a bheith 111 nó tada dá shórt. Shiúlamar siar is aniar cois a chéile faoin gcrann mór géagach a thugas foscadh d'uaigh Emmet (más uaigh Emmet é) ar thaoibh amháin agus uaigh an Ard-Easpaig Mac an tSaoir ar an taoibh eile. Agus sa tsiúl dúinn thug an Dochtúir a thuairimí go paiteanta dom : b'iontach liom an méid a bhí tugtha faoi deara aige san achar gearr a bhí sé istigh san uaimh. Fuair an bhean rialta bás, ina bharúil, i mbláth na maitheasa, sé sin, idir dhá scór agus deich mbliana is dhá scór. An corp ba shine den cheathrar dob é an ceann ar dheis na mná rialta é. Bhí sin aosta go maith : ní fhéadfadh sé a rá go baileach arís gan an mionscrúdú cé an aois ach chomh fada lena thuairim bhí sé cúig bliana déag is trí fichid nó mar sin. B'fhéidir gur bhean an corp sin agus má b'ea d'aontódh sé liom gur féidir gurb éard a tharla gur tugadh do chorp amháin—an ceann i lár baill—an scéal a bhain le corp eile faoi mar fíodh le chéile, mar do thuairimíos cheana, Miss Crookshank agus an cháil naofachta a bhí ar Father Tasborough. I bhfocla eile, is é corp an tseanduine Miss Crookshank. Bheirim rabhadh don léitheoir nach bhfuil ansin ach tuairim. Ach is dealrathaí míle uair é ná an scéal a hinstear anois sa teampall, go mórmhór má cruthaítear nach bean ach fear an corp breá téagartha sin i lár an ghasra.

Bhí aimhreas ar an Dochtúir X freisin faoi inscne an duine ar láimh chlí an choirp latharnaigh, go mórmhór mar gheall ar chaoile an choim. D'fhéadfadh sin a bheith ina bhean nó ina fhear: caithfí baill áirithe bheatha a scrúdú go healaíonta sul a bhféadfaí bheith cinnte. Maidir leis an gcorp ar gcúl le balla, ba fhear é sin, dar leis an Dochtúir, ach ba dheargsheafóid é Crosáidí a thabhairt air. Chomh fada agus d'fhéadfadh sé fheiceáil, d'aontódh sé lena raibh faighte amach agam faoin bhfad aimsire go raibh an corp sin agus a chompánaigh adhlactha—sé sin, nach raibh adhlacadh ar bith acu ag gabháil níos faide siar ná lár an 18ú céad, sé sin le rá, timpeall dhá chéad bliain.

Thagair an Dochtúir don mhórchuid deannaigh a chonaic sé sna comhraí agus ar na marbháin. Ba ó na coirp féin a bhí an chuid is mó dhe sin ag teacht i slí go bhféadfaimis a rá go bhfacamar focla an Scrioptúir dá chomhlíonadh os comhair ár súl—*memento, homo, quia pulvis es, et in pulverem reverteris.* Thaispeáin an Dochtúir dom ina shaotharlainn féin ar ball samplaí eile den *process* céanna. Líonta na ndubhán alla a bhí fairsing go leor ins na luscaí d'insíodarsan scéal eile dhó. Chaithfeadh na dubháin alla beathú fháil. Shíl an Dochtúir go nochtfadh an deannach faoin miondrachán na frídí a bhí dá gcothú.

31.

Shocraigh mé im intinn go gcríochnóinn mo thuairisc gan an mionscrúdú bheadh riachtanach sul a bhféadfadh an Dochtúir X na tuairimí a thug sé dhom de bharr a réamhchuarta a dhearbhú. Faitíos roimh an moill a bhí orm agus b'fhéidir roinntín faitís, freisin, go bhfaighinn eiteachas ó lucht an teampaill. Chaithfimis a iarraidh ar an reachtaire an pobal a choinneáil amach as an lusca ina raibh uaimh na nÍosánach ar feadh lae nó dhó fhad is bheadh na saineolaithe ag fótógrafáil na gcorp ó chuile phointe. Chun an gnó sin a dhéanamh i gceart, caithfí gléas X-rithne a bheith againn sa bpasáiste atá ar aghaidh na n-uamhna agus na marbháin a thabhairt amach go dtí é ina gceann is ina gceann. Fiú ansin féin is eagal liom nach bhféadfaí na pictiúirí go léir a thógáil gan láimhseáil éigin a dhéanamh ar na coirp agus níor róchosúil, im thuairim, go dtiúrfaí cead chuige sin go héascaidh. Agus ó chaith reachtairí éagsúla an teampaill chomh cineálta sin liom ó am go ham ba é an smaoineamh ba shia siar i mo cheann trioblóid a chur orthu. Ar chaoi ar bith, céard d'fhéadfadh an mionscrúdú seo a dhéanamh dhom? Shocródh sé, b'fhéidir, cé mhéid ban a bhí i measc na gceithre coirp—duine nó beirt—agus bhí mé faoi réir mo scéal a chríochnú ar cheachtar den dá fhoras sin. Maidir lena n-aoiseanna, ní móide go dtiúrfadh an mionscrúdú mórán eolais dom nach raibh agam cheana agus níor chreideas go nochtfadh sé céard de a bhásaigh aon duine den cheathrar, thar éis an fhad sin aimsire agus an chaoi a bhí orthu. Dhéanfainn iarracht, mar sin, mé féin, le toradh an fhiosrúcháin a shuimiú, le snáithíní an scéil a tharraing le chéile, agus a inseacht don léitheoir ins an am céanna ciacu de na buillí iomadúla fá thuairim atá ar fud an leabhair is dealrathaí.

Is é an chéad ní atá socair, creidim, aois na luscaí féin. Is é 1686 dáta a n-oscailte. Tagann de sin nach bhféadfadh go mbainfeadh aon cheann de na coirp a bhí nó atá sna luscaí leis an ré roimh 1686. Níl aon fhianaise ann ach an oiread gur tugadh corp ar bith isteach i 1686 nó tar a éis a cailleadh roimh 1686. I bhfocla eile níl Naomh Michen ins na luscaí, ná aon Chrosáidí ná rí ar bith de ríthe na Laighneach ná éinne eile, mór nó beag, uasal nó íseal, naomh nó peacach, a d'éag roimh 1686.

Is é an dara ní atá inchreidte de bharr an fhiosrúcháin go bhfuil bua sin na coinneála, a fuair agus a fhaigheas oiread sin molta, teoranta. Tá sé teoranta ar dhá bhealach. Ní mhairfidh an momach is fearr go deo sna luscaí—tá an lobhadh ag gabháil dóibh go léir i gcónaí, más lobhadh an-mhall féin é. Chor leis sin, tá codacha de na luscaí níos tirime ná a chéile. "Uaimh na momach" nó "uaimh na nÍosánach" is í sin, dar liom, an áit is tirime sna luscaí a hoscailtear don phoiblíocht, agus b'fhéidir sna luscaí uile go léir. Ar chaoi ar bith tá trí nó ceithre coirp ar taispeáint san uaimh sin atá ann, chomh fada agus is féidir a dhéanamh amach, ó timpeall 1780—sé sin le rá, go bhfuil siad básaithe anois le 170 bliain, beagán faoi nó thairis. Ní chreidim go bhfuil aon chorp is sine ná sin le fáil sna luscaí. Rud eile nach miste dhúinn a chreidiúint is é go maireann coirp níos faide ná na comhraí a dtugtar isteach iontu iad sna codacha is tirime de na luscaí. Is cosúil go súann an atmosféir tirim an t-uisce as na corpáin go tapaidh agus tirimíonn agus teanntaíonn an craiceann ansin go ndéantar leathar de agus maireann sin.

Tá a fhios againn nár cuireadh duine ar bith san uaimh sin idir 1686 agus 1700. Ach toisc gur scriosadh cláracha an teampaill don 18ú agus don 19ú aois le linn an Chogaidh Chathartha ní féidir cuntas cruinn a thabhairt ar gach ar tharla san uaimh ó 1700 anall. Ach tig linn an méid seo a rá: nach móide gur húsáideadh an uaimh chor ar bith gur tosnaíodh ar shagairt de Chumann Íosa a chur ann san mbliain 1727 nó am eicínt idir 1700 agus 1727, agus gur leanadh dá n-adhlacadh ansin go dtí timpeall 1820. Ní hionadh mar sin gur " Uaimh na nÍosánach " a thugas Battersby, duine de staraithe an Chumainn, ar an áit.

Scéal aisteach é go bhfuair na hÍosánaigh an uaimh is tirime sna luscaí. Scéal níos aistí fós gur Íosánach Sasanach, Father Thomas Tasborough, a raibh cáil na naofachta air agus gur tugadh suas dó i ndiaidh a bháis go raibh sé in ann míorúiltí a oibriú, an chéad duine acu, nó beagnach an chéad duine acu, a cuireadh san uaimh. Faoin am go raibh a chomhra titithe as a chéile bhí muintir Bhaile Átha Cliath réidh lena chorp a thógáil leo mar thaisí, agus rinneadar amhlaidh. Ní mhaireann anois de ach an mhéar atá i seilbh na Siúracha d'Ord na Toirbhirte ar Chnoc Sheoirse i mBaile Átha Cliath. Bhí glaoch ar an taise seo go dtí le gairid.

Níl mé ag déanamh breithiúnais ar bith ar an gcaoi a bhí ar chorp Father Tasborough sul ar tugadh chun siúil é. Níl mé ag rá ach an oiread go raibh baint ar bith aigesean le lobhadh na gcorp eile san uaimh a chosc ná a mhoilliú go mór. Seanbhua aicionta na luscaí faoi ndear sin, agus creidim gur trí sheans—trí sheans an-aisteach, más maith leat—do tharla gur san uaimh is fearr ina n-oibríonn an bua sin a cuireadh na daoine naofa seo go léir. Agus ba daoine naofa iad, gan aon agó.

In ainneoin mórán cuardaigh i leabhra den 18ú aois níor thángamar ar aon tuairisc ar na luscaí ná ar na daoine a cuireadh iontu. Is greannmhar sin liom : cruthaíonn sé, im thuairim, nach raibh aon cháil ar na luscaí go dtí go deireannach san aois sin agus go mb'fhéidir gurbh é Father

Tasborough a tharraing orthu é. Ach tá cuid mhaith tagairtí do na luscaí agus do na momaigh le fáil i leabhra agus iriseáin san 19ú aois agus is é an ceann is túisce acu an ceann is fearr ar gach bealach. In 1811 do scríobhadh seo chomh fada agus is féidir liom a dhéanamh amach. Níl ach sliocht gearr as an aiste sin againn ach instear dhúinn ann go bhfaca an ceimiceoir a scríobh é trí coirp san uaimh: bean rialta agus beirt shagart. In 1888 scríobh eolaí eile, Vicars, cuntas ar a bhfaca sé an bhliain sin san uaimh agus thóg sé fótógraf. Tá sin ar fáil agus léiríonn sé nach bhfuil aon athrú ar uimhir ná suíomh na gcomhraí foscailte inniu i gcomparáid le 1888 agus is iad na marbháin chéanna chomh fada agus is féidir liom a fheiceáil atá sna comhraí. Níl de dhifríocht idir scéal an cheimiceora in 1811 agus scéal Vicars in 1888 ach go bhfaca an ceimiceoir trí coirp agus Vicars ceithre cinn. Do leanadh de chur Íosánach san uaimh tar éis 1811, áfach, agus is léir go raibh dhá mharbhán eile i bhfoisceacht na huaimhe sin timpeall an ama go dtug an ceimiceoir cuairt ar na luscaí—bean a cailleadh i luí seolta agus óigfhear a mharaigh a dheartháir agus a crochadh dá dheasca.

Tá sé sách cinnte go bhfuil an bhean rialta agus beirt Íosánach san uaimh sin fós. Agus ní fheicim údar ar bith nach nglacfaimis leis na dátaí a tugtar do dhá cheann de na hadhlactha sin: 1781 i gcás na mná rialta agus 1783 i gcás duine de na hÍosánaigh (John Fullam). Más fir an tríú agus an ceathrú duine tá seans maith gur baill de Chumann Íosa iad sin freisin agus máisea gheofar a n-ainmneacha agus a mbásanna idir 1760 agus 1820 i liostaí Oliver agus Battersby ar tharraing mé orthu i gcorp an leabhair.

Bhí sé ina scéal mór i dtosach na 19ú aoise agus ar

feadh i bhfad ina dhiaidh sin go raibh an bhean rialta an-tsean ar fad nuair a cailleadh í, suas le 111 bliain. Chreid an ceimiceoir é i dtaoibh na mná rialta ach ba deacair le cuid de na húdair a scríobh faoi na luscaí ina dhiaidh sin é sin é chreidiúint i dtaoibh an choirp gur dúradh gurbh é corp na mná rialta é. B'é a fhearacht sin agam féin é i gcás go nglacaim go fonnmhar le barúil an Dr. X nach bean, sean ná óg, an corp a pointeáltar amach ach gurb ea an corp ar a láimh dheis. An corp sin ar a láimh dheis mar sin an bhean rialta. Murab ea, níl an bhean rialta ann níos mó. Tá an corp sin i ndroch-chaoi faoi láthair, rud a chuireas i gcéill dom gur bheag an seans maireachtála a bheadh ag corp den 17ú aois, corp an mhurdaraera óig mar shampla. Mar sin, má tá an dara bean san uaimh sin, is í an bhean a cailleadh ag breith páiste í, is é sin más corp den 18ú aois é.

Ní fíor go raibh an bhean rialta mórán thar 75. Creidim nach fíor ach an oiread an scéal a chuir an Dochtúir R. R. Ó Madáin amach mar gheall ar a naofacht agus na míor-úiltí a rinne sí i ndiaidh a báis. Creidim gur leag an Madánach ar an mnaoi rialta ar chaoi eicínt na rudaí a tharla go fírinn-each i gcás Father Tasborough. Ba é sin a bhí dá leath-chanónú ag pobal Bhaile Átha Cliath. Is ar a thuamba seisean bhí na sluaite ag triall. Ba mar gheall airsean ab éigean do na húdaráis na hoilithreachtaí a stop, má rinneadh amhlaidh agus níl a chruthúnas sin le fáil.

Tá neart fianaise i mo leabhar le taispeáint gur dóigh nach bean rialta í chor ar bith. Tá fonn orm glacadh le tuairim an Athar Mhic Fhir Léinn gur bhean Chataoilic-each í, b'fhéidir bean uasal a d'iompaigh, a bhí ar aíocht ag ceann eicínt de na gasraí sin de mhná rialta a bhí sa gcomharsanacht timpeall 1780, sin nó bean uasal a bhí ina patrún ag na hÍosánaigh nó ag cuidiú leo ar bhealach eicínt. Mhíneodh sin cé mar tharla dhi bheith san uaimh in éindigh leo tar éis a báis. Is rídheacair glacadh leis an sloinneadh Crookshank dhi ach an oiread agus go bhfaighidh mé tuilleadh údair leis, ní ghlacfad.

Le scéal fada a dhéanamh gearr, tá ins an uaimh seo seanbhean Chataoiliceach gan ainm de bhunadh uasal, beirt nó b'fhéidir triúr Íosánach—duine acu Father John Fullam—agus bainid go léir leis an ré ó 1760 go 1820. Agus sin deireadh mo chuntais. Dá mhéid ba mhian liom é níor éirigh liom aon áit i measc na marbhán a choinneáil don bheirt bhan rialta, Elizabeth Talbot agus Susan Woodward, a d'aimsíos i gcroinicí na 17ú aoise, ná do Agnes Bellew, an Carmelíteach beannaithe a bhfuil dearmad déanta ar an ionad inar athadhlacadh a corp. Cuirfidh sin aiféala ar an Máthair-Uachtarán chaoin sin i Raghnallach ach tá mé cinnte go n-aontóidh sí liom gur cuma cá bhfuil corp Agnes an fhaid atá a hanam folaithe le Críost i nDia. Agus sin é a ghuidhim d'anamnacha na bpearsan uile a hadhlacadh i dteampall nó i reilig N. Michen, idir Ghall agus Ghael, uasal agus íseal, Protastúnach agus Cataoiliceach.

32.

Tá na daoine ag gabháil chuig na luscaí i gcónaí ina dtáinte. Tá cáil na háite i bhfad is i ngearr ar fud an oileáin seo in aice linn agus ar an mór-roinn féin. Tá tagairt di sna gnáth-treoirleabhra, ach creidim gurb é leabhar H. V. Morton *In Search of Ireland*, thar chuntas eile ar bith, a tharraingeas na daoine chuig na luscaí. Tugann Morton caibideal ar leith don teampall, do " sheomra uafás Bhaile

Átha Cliath" mar a thugas sé air. Ag gabháil síos sna luscaí dhó féin chuala sé an Cléireach dá rá gurbh iontu a bhí an t-aer ab fhearr i mBaile Átha Cliath. Ba tosnú maith é sin. Chonaic sé na coirp agus is mar seo a chuireas sé caoi orthu :

"Séard a bhaineas geit asainn agus a chuireas uamhan ionainn nach deannach fós na fir is na mná seo—bíodh is go bhfuil cuid acu básaithe le 500 bliain agus tuilleadh . . .

'Féach' arsa an Cléireach, ag lúbadh glúnach ar eagla go n-imeodh éinní amú orm.

Chonaic mé corp fir ina luí i gcúinne ann, cos os cionn coise aige, mar is dual do Chrosáidí tar éis bháis . . .

'Ní miste dhuit lámh a chraitheadh leis !' arsa an Cléireach. Chromas agus do scrúdaíos iongna fir atá marbh le beagnach 800 bliain.

Bhí corp mná ins an uaimh chéanna—bean rialta, adúradh liom, ar baineadh a cosa agus a lámh dheas di. Is é an scéal a hinstear mar gheall uirthi seo, gur ciapadh is gur gearradh í na céadta bliain ó shoin . . .

Bhí áthas orm an t-aer fuar agus solas an lae a shroichint arís.

'An dtaispeánann tú na luscaí seo do mhná ?' d'fhiafraíos.

'Bheirim rabhadh do mhná i gcónaí,' ar seisean, 'nó bheidís ag titim i laige orm . . . Sea, tá scéal síúil acu i dtaoibh na háite. Is amhlaidh a chuaigh gadaí síos oíche dhorcha le fáinne a bhaint de mhéir mhná uaisle, agus fhad is bhí sé ag obair leis, d'éirigh an bhean uasal aniar ina comhra, do chuir a cos amach thar a taoibh, agus do shiúil léi. Shiúil, go deimhin, agus deir siad gur mhair sí go ceann na mbliana fada ina dhiaidh sin. Ach níl ansin ach ' blarney ' a dhuine uasail . . . "

Stadaim féin ansin agus óm chroí amach iarraim pardún ar an léitheoir muran léire dhó céard atá iontaofach agus céard nach bhfuil i seanchas agus gnáthoideas theampall úd N. Michen.

CLÁR DÁTAÍ

1614-1630 Benedictínigh ó Dunkirk ar Ché na gCeannaithe.

1625-1630 (?) Cláracha Bochta ón mBeilg i mBaile Átha Cliath.

1669 Cuireadh Kingborough Pipho in aois 122 sa teampall.

1677 Cuireadh Eilís de Bhál ó Thigh an Aifrinn i Mary's Lane i reilig N. Michen.

1682 Cuireadh Séamas Ó Comraidhe ó Thigh an Aifrinn i Mary's Lane i reilig N. Michen.

1683-1686 Teampall N. Michen dá atógáil.

1686 hOsclaíodh an teampall atógtha agus na luscaí.

1686-1690 Fondúireachtaí Benedictíneacha i Sráid na gCaorach agus Channel Row.

1687 hAdhlacadh "Mrs. Elizabeth Talbot, virgin" sna luscaí.

1688 hAdhlacadh "Mrs. Susan Woodward, virgin" sna luscaí.

1689 D'éag Dame Susan Fletcher, Benedictíneach, i Sráid na gCaorach.

1696-1697 Cuireadh John agus Lawrence Lovat sna luscaí.

1712-1804 Cláracha Bochta i Channel Row agus Sráid Thuaidh an Rí.

1719-1808 Doiminiceánaigh i Channel Row.

1727 hAdhlacadh an tAth. Thomas Tasborough sna luscaí.

1730 D'éag an Bhaindiúic Thír Chonaill.

1730-1788 Carmelítigh ó Bhaile Locha Riach i Fisher's Lane agus Pudding Lane.

1750 (*circa*) D'éag an Mháthair Agnes Bellew, Carmelíteach.

1773 An dáta is luaithe ar chairt de 1869 atá ar fáil sa teampall.

1781 D'éag an bhean rialta (do réir an cheimiceora, Wright agus an *Irish Literary Gazette*).

1782 hAdhlacadh Miss Crookshank don dara uair.

1782-1800 Suim ag an bpobal sa mnaoi rialta.

1783 D'éag Íosánach (*Irish Literary Gazette*).

1783 nó 1784 D'éag an tAthair John Fullam, C.Í.

1783 D'éag fear in aois a 111 (Otway).

1784 hAdhlacadh an tAth. John Austin, C.Í., i reilig N. Caoimhín.

1786 hAdhlacadh Ard-Easpag Mac an tSaoir i reilig N. Michen.

1786 hAdhlacadh beirt shagart i luscaí N. Michen (Binns agus *Irish Literary Gazette*).

1790-1800 Oilithrigh ag tuamba na mná rialta (an dara eagrán de *Bheathaí na nÉireannach Aontaithe* leis an Madánach).

1798 Cuirtear coirp na Síoras sna luscaí.

1806 Leagtar corp fir a d'éag in aois a 111 " in its present silent abode " (Binns).

1811 Aiste an cheimiceora ag tagairt d'imeachtaí a tharla " not long since."

1816 Tugann an Madánach a chéad chuairt ar na luscaí.

1822 Tugann W. H. Curran cuairt ar na luscaí.

1832 Faigheann Samuel Rosborough bás.

1832 Athraítear an bhean rialta agus na Síoras (an Madanách).

1836 Athraítear na Síoras (Binns).

1842 An Madánach sna luscaí don dara uair.

LEABHRA AGUS RL. A CEADAÍODH

Annals of Dominican Convent, Cabra (1913).

Battersby, William J. *The Jesuits in Dublin* (1854).
Beck, E. W. Aiste san *Irish Ecclesiastical Record* (Bealtaine, 1891).
Berry, Henry F. *The Registers of the Church of St. Michan* (1907-1909).
Binns, Jonathan. *The Miseries and Beauties of Ireland* (1837).
Burke-Savage, Roland, S.J. *A Valiant Dublin Woman* (1940).

Chart, D. A. *The Story of Dublin* (1907 agus 1912).
Concannon, Helena. *The Poor Clares in Ireland*, 1629-1929 (1929).
Curran, W. H. *Sketches of the Irish Bar* (1822).

De Burgo. *Hibernia Dominicana*
Donnelly, Nicholas, D.D. *State and Condition of R.C. Chapels, A.D.* 1749 (1904).
Dublin Consistorial Marriage Licence Bonds.
Dublin Penny Journal (lgh. 69-71, 1832, agus lgh. 209-210, 1834).
Falkiner, C. Litton. *Illustrations of Irish History and Topography of the Seventeenth Century* (1904).

Fitzpatrick, William J. *History of Dublin's Catholic Cemeteries* (1900).
Foley, Henry, S.J. *Records of the English Province of the Society of Jesus* (1877-1883).

Gerard, Frances. *Picturesque Dublin: Old and New* (1898).
Gilbert, John T. *A History of the City of Dublin* (1898).

Hall, Mr. and Mrs. S. C. *Ireland: its Scenery, Character, etc.* (1842).
Historical Sketch of the Poor Clares in Ireland.
History of the Roman Catholic Church and Parish of St. Michan (1892).
Irish Literary Gazette (Im. 1, Uimh. 3, lch. 42, 1857).
Irwin, George. *Dublin Guide* (1853).

Journal of the Association for the Preservation of the Memorials of the Dead in Ireland.

King, William, D.D. *The State of the Protestants of Ireland under the late King James's Government* (1690).

Knox, William. *A Visit to Dublin* (1824).

Lawlor, H. J. *The Diary of William King, D.D.* (1903).

do. H. J. *Note on the Church of St. Michan, Dublin* (1926).

Lecky, W. H. *History of Ireland in the 18th Century.*

Madden, R. R. *Lives of the United Irishmen* (1842 agus 1860).

McGregor, J. J. *Pictures of Dublin* (1821).

Morton, H. V. *In Search of Ireland* (1930).

Nolan, Patrick. *The Irish Dames of Ypres* (1908).

Oliver, George. *Jesuit Biographies* (1838).

Otway, Caesar. *Sketches in Ireland* (1827 agus 1839).

Prerogative Marriage Licences.

Ronan, Myles. *An Apostle of Catholic Dublin* (1944).

do. *The Parish of St. Michan* (1948).

do. Aiste san *Irish Rosary* (1904).

Rushe, J. P. *Carmel in Ireland* (1903).

Sergeant, Philip W. *Little Jennings and Fighting Dick* (1913).

St. Joseph's Sheaf (Im. V, Uimh. 33).

The Irish Builder (1873 agus 1874).

Vicars, Arthur Edward. *The Antiseptic Vaults beneath St. Michan's Church* (1888).

Wakeman, William F. *Old Dublin* (*Evening Telegraph*, 1887).

Walsh, Robert. *The Ancient Church and Parish of St. Michan* (1891).

Wilson, T. G. *Victorian Doctor* (1942).
Wright, George Newenham. *An Historical Guide to Ancient and Modern Dublin* (1821).

Young, E. J. *St. Michan's Church, Dublin.*

INDEX

INDEX

INDEX

INDEX

Aodhagán Brioscú a rinne an líníocht

Arna chlóbhualadh do
Sháirséal agus Dill Teoranta
ag Ó Gormáin Teoranta
Gaillimh

IMMACULATA ST. MARY'S
PROPERTY
OF
CABRA